LE VOYAGEUR PASSIONNÉ.

© by Editions Gérard-Julien Salvy, 1985.
14, rue du Mail - 75002 Paris.
ISBN 2-905899-00-X.

Bernard Berenson

Le Voyageur Passionné.

Traduit de l'anglais par Bernard Turle.

Gérard-Julien Salvy, Éditeur.

PRÉFACE

En 1889, nous dit Berenson, Ravenne semblait tombée au fond du gouffre du temps et il y régnait un silence de mort : l'écho répercutait les pas. Soixante-sept ans plus tôt, il avait déjà visité la majorité des lieux cités dans ces carnets. Il ne cesse de nous le rappeler, en comparant ses impressions premières aux plus récentes, car c'est là un fait singulier et pertinent, personne n'avait jamais écrit sur l'art visuel à partir d'une expérience si prolongée. Je ne me souviens d'aucun écrivain (à l'exception peut-être de Fontenelle) qui ait préparé, en vue de leur publication, des écrits rédigés à l'âge de quatre-vingt douze ans. Berenson venait de corriger les épreuves de cet ouvrage quand la mort emporta sa frêle silhouette qu'animait une curiosité insatiable.

"Plus je vieillis, plus Botticelli me touche et me plaît" (il avait parlé de Botticelli avec Walter Pater en personne). "Il me semble qu'il m'a fallu toutes ces années, depuis 1888, pour apprendre à apprécier pleinement Venise". Les favoris des dieux ne meurent pas jeunes : ils vivent vieux et conservent leur appétit de savoir et de sentir. Mais ils sont rares, et ils doivent aimer la sagesse autant que la chance doit les aimer.

L'auteur de ces carnets ne possédait pas seulement une grande expérience, il en jouissait énormément. Il était devenu un parangon de savoir mais était resté, au fond, un épicurien. "Un épicurien raisonnable (je cite Gibbon) adhère avec un invariable respect aux préceptes modérés de la nature"; Berenson n'était pas seulement raisonnable mais d'une exigence extrême. Sa voracité se restreignait aux plaisirs de la pensée, de la lecture, de la conversation et, particulièrement, à ceux que lui procuraient ses yeux. Il cherchait, par la fréquentation des arts, à embellir la vie. En tant qu'historien d'art, il explora les contreforts et en dressa la carte afin d'intensifier sa compréhension et sa jouissance des cimes. Comme ces pages le montrent, l'enthousiasme et la finesse de ses réactions n'étaient pas moindres face aux beautés de la nature que devant les créations de l'homme. A Taormine, l'aube lui procure un "pur bonheur visuel" tel que seul Wordsworth aurait su l'exprimer sur le papier. Durant la visite en Tripolitaine, qu'il décrit dans le livre, je l'observais avec envie goûter les arbres et les fleurs de façon aussi physique et avec autant de joie que l'immense majesté de Leptis Magna.

Cette passion pour le monde visible étaie ses théories et ses préférences esthétiques. Il exaltait les "valeurs tactiles" en peinture, à mon avis, parce qu'elles mettaient la beauté, pour ainsi dire, à portée de sa main. Bien qu'on lui doive le premier panégyrique de Cézanne en langue anglaise (avant même le début du siècle) et bien qu'il ait été l'un des premiers défenseurs de Matisse, il s'opposa à certains des artistes contemporains les plus idôlatrés – leur reprochant non pas de manquer de talent mais de l'utiliser à mauvais escient. C'est ainsi qu'il s'aliéna, de façon regrettable il me semble, nombre de ceux qui autrement auraient apprécié ses écrits. Ses critiques de Picasso (et même de Seurat) peuvent être éclairées en partie par ses commentaires, dans les carnets, sur l'indifférence de Goethe à l'art médiéval : "Même les plus doués d'entre nous ne peuvent dépasser de beaucoup les limites intelligibles fixées par leur éducation". Cependant, ce qui eut le plus d'importance pour la formation de son goût, était sa vénération des beautés de la nature, et en particulier du corps humain, que les peintres modernes paraissent si souvent haïr.

Berenson aimait par-dessus tout l'art grec classique, et en second lieu l'art de la Renaissance qui recherche le même but : un juste équilibre entre réalisme et idéalisation. L'artiste imite le monde visible en épargnant à l'image les imperfections de la réalité : Aphrodite et

Apollon sont plus beaux qu'aucune créature, sans se transformer pour autant en idoles marmoréennes. Nombreux sont les grands artistes – Byzantins, Romans, Chinois, Flamands, Espagnols, Hollandais, primitifs Italiens ou Français du XIXe siècle – à avoir été animés par un idéal différent. Berenson s'enthousiasmait aussi pour leurs créations. Sa collection comporte d'anciens bronzes chinois et des tableaux de primitifs siennois. Mais, dans sa jeunesse, les Grecs ravirent son cœur à jamais : il exultait quand il décelait leur influence dans une œuvre romaine, étrusque, byzantine ou gothique. Le lecteur qui a suivi ses recherches dans le domaine de la peinture du XIVe siècle sera peut-être surpris du goût qu'il montre dans ces carnets pour le XVIIIe siècle. C'est que dans sa passion pour le monde classique, il appartenait à ce dernier.

Les carnets d'un auteur aussi célèbre que Bernard Berenson se dispensent de préface. Mais on n'a souvent vu en lui qu'un expert inégalé dans son domaine ; ces commentaires au jour le jour pourraient aider à rectifier cette image incomplète de lui. Leur publication, pour le moins, sera l'hommage rendu à un homme passionnément amoureux de la nature et de l'art.

Raymond Mortimer.

L'Aqueduc de Claude vers 1880.

ROME. MAI 1947-JUIN 1955.

Le Vatican et la Basilique Saint-Pierre vers 1880.

7 mai 1947.

Dans la Rome que je connaissais, la campagne cernait la cité, l'envahissait même, pratiquement jusqu'à la Piazza di Spagna. Du terre-plein de Saint-Jean-de-Latran on dominait des étendues champêtres encore vierges qui s'allongeaient jusqu'aux monts albains, parsemées seulement de quelques anciennes tavernes. Aujourd'hui, l'on est confronté à l'ignoble enchevêtrement d'une des banlieues les plus misérablement prétentieuses d'Europe. Elle se répand sur ce qui fut la Campagne romaine dont elle ruine la solitude. Elle s'attaque même aux vestiges romantiques de la Via Appia, aux antiques tombes de la Porta Latina... La pyramide de Caïus Cestius paraît être une dame du temps jadis égarée dans un lupanar. L'asphalte a ôté à la Via Appia tout pouvoir d'évocation.

20 mai 1947.

Suis allé à la Collection Pallavicini, surtout pour revoir le Botticelli : la femme se tenant la tête dans les mains, assise sur un banc de pierre devant un palais massif aux portes closes! Sans doute un pan de *cassone*, dont ni l'autre petit côté, ni les grands côtés n'ont encore été identifiés. A nouveau le trait, la ligne, la couleur même, son expression de total abandon m'ont pénétré au plus profond de l'âme. D'ailleurs, plus je vieillis, plus Botticelli me touche et me plaît. Il me semble avoir atteint les sommets de ce qu'est pour moi l'art du dessinateur : la ligne fonctionnelle, le contour qui chante, la beauté de l'enveloppe qui englobe les formes comme une caresse. Ses jeunes femmes peuvent avoir le charme attrayant et tendre des Watteau les plus raffinés sans jamais évoquer pour autant la grisette ou la *machine à plaisir*.*

_____

*En français dans le texte.

26 mai 1947.

Santa-Maria-in-Cosmedin restaurée suivant ce qu'on pense avoir été l'aspect d'une basilique chrétienne du haut Moyen Age. Aussi hétéroclite qu'un centon, composée de colonnes et de chapiteaux antiques, de panneaux de marbre de la période dite lombarde. Mosaïques cosmates au sol et ajours aux fenêtres formant des motifs de damier. Rien de cela ne me choque, à l'inverse des fresques restaurées. Est-ce donc que les restaurations dans mon propre domaine m'affligent parce que je suis conscient de leur fausseté, tandis que les archéologues et les architectes réagiraient de même devant les restaurations dans leur domaine ? J'en doute fort car, en architecture, ce qui gêne parfois, ce sont, à la rigueur, des restaurations trop méticuleuses ou effectuées d'après un plan pré-établi, mais en peinture je vois souvent de grosses erreurs d'interprétation et des éxécutions indignes. Le pire, dans ces basiliques restaurées, est qu'elles restent vides et ne paraissent servir qu'à démontrer l'habileté du restaurateur en oubliant de s'imposer comme temples du Seigneur.

2 novembre 1947.

Me suis promené dans Sainte-Marie-Majeure, savourant l'espace majestueux de la nef, la perspective des colonnes et la splendeur des grandes chapelles. La magnificence et la somptuosité des églises romaines (et d'une certaine manière de toutes les églises d'Italie) suscitent sans doute chez ceux qui les fréquentent l'admiration et une sorte d'élévation morale, mais pas l'envie qu'ils pourraient ressentir si les mêmes trésors leur étaient montrés dans des palais privés. Si peu cultivés soient-ils, les gens ne peuvent visiter ces églises sans que leur vision du monde en soit modifiée et sans y trouver de nouvelles valeurs.

La campagne romaine au début du siècle.

13 novembre 1947.

Difficile de mesurer la satisfaction que je ressens à me promener à l'extérieur et à l'intérieur de ces églises, à tout examiner, la moindre parcelle de pavement, le moindre monument funéraire, chaque buste, chaque tableau. Et les ruines! Elles me fascinent, m'intriguent tant! A quoi ressemblaient les bâtiments dont elles sont l'unique vestige? Est-ce mon imagination seule qui voit en elles les témoins d'un noble passé? Tout ce que je ressens à leur égard provient-il de mes sentiments et de ma ferveur lorsque j'étais plus jeune? J'ai été si pieux... et si l'on me connaît, c'est sous les traits d'un critique acerbe et sans cœur...

9 octobre 1950.

Saint-Laurent-Hors-les-Murs. Ai apprécié les fragments de sculpture antique, la frise médiévale au-dessus du portail, à cause de leur caractère vital, précis, net, qualités qu'on retrouve dans le galbe des colonnes et la sculpture des chapiteaux antiques. Tel plaisir enrichit-il la vie de façon presque physiologique (comme je le crois), ou est-il la simple conséquence d'une familiarité acquise au long des années? On a appris à aimer, on a pris l'habitude d'aimer – de la même façon qu'on apprécie la "cuisine de maman" quand on y retourne? Peut-être y a-t-il beaucoup de cela dans mon goût pour la technique des Anciens et dans les sensations que leurs œuvres éveillent en mon esprit. J'aime les ruines et les groupements hétéroclites de bâtiments pour la même raison.

11 octobre 1950.

Aux fouilles de Palestrina avec un ami archéologue américain. Comme je lui disais que le vaste édifice devait comporter des éléments d'époques diverses, il m'a assuré qu'il avait été construit en une seule fois, d'après un plan unique. Il a ajouté que les murs cyclopéens latins, même ceux d'Alatri, n'étaient pas antérieurs à environ 200 av. J.C. et

Le Temple de la Fortune à Palestrina.

avaient été construits ainsi pour des raisons esthétiques. Un tel motif me semblait peu vraisemblable, aussi avons-nous décidé que la raison devait être magique. La sécurité d'une cité dépendait peut-être de ce que chaque pierre eût une certaine grosseur et fût taillée d'une certaine manière, tout comme dans le rituel latin, où l'on devait prononcer chaque syllabe d'une certaine façon, sans quoi elle perdait son pouvoir d'attirer la bienveillance de la divinité.

12 octobre 1950.

Je ne connais aucune forme géométrique aussi parfaite que le dôme de Saint-Pierre. Toute tentative d'y retrouver une apparence humaine n'aboutirait qu'à une caricature, serait aussi puérile que de transformer un visage en ballon, ou de reconnaître des traits humains dans la pleine lune. (Quoiqu'il n'y ait, dans le monde arabe, plus grand compliment adressé à la beauté que celui-ci : "Son visage est tel que la lune en son quatorzième jour".) Je comprends tout à fait la tendance qui consiste à géométriser les objets, y compris les animaux et même les humains, et je suis partisan d'un compromis. Le vrai problème, outre la technique, est qu'il faut trouver le compromis exact entre géométrie et représentation.

25 octobre 1950.

Exposition de dessins de Seurat. Toute l'affaire, c'est que sa notation – assez proche de celle de Carrière – consiste à saisir des objets dans une espèce de brume. Chez Carrière, il s'agit d'un brouillard obscur qui envahit même les intérieurs, alors que Seurat semble tout voir à travers une gaze ou une toile. En fait, un moyen facile d'obtenir des effets plastiques à bon compte. Il est tout à fait injustifié de saluer en Seurat un découvreur de forme, un créateur de vision. Une notation nouvelle – ou qui n'est, tout simplement, pas encore devenue banale – n'est pas forcément une vision nouvelle. De nos jours, une simple trouvaille de notation suffit à faire d'un peintre un grand maître.

29 octobre 1950.

Suis allé au Palais Sacchetti que je n'avais jamais visité. Pièce de résistance, une salle peinte *à fresque* par Salviati. Intéressante, l'astuce pompéienne consistant à représenter un triptyque comme s'il pendait à la manière d'un tableau sur un mur. Salviati a dû s'inspirer de quelque chose qu'il a vu à Rome, car Pompéï, où l'on trouve de nombreuses fresques de ce genre, dormait encore sous terre, insoupçonnée. Particulièrement intéressant, de même, un bas-relief romain du rez-de-chaussée, architecturalement du quatrième siècle, mais dont les personnages évoquent incontestablement des époques antérieures[2].

31 octobre 1950.

Je suis venu pour la première fois à Rome à l'automne 1888 et ai passé les mois suivants à marcher du matin au soir. Un *caffè latte* coûtait cinq sous. Souvent, je ne déjeunais pas, je mangeais des châtaignes à la place, c'était bon et ça réchauffait les mains dans les poches. Je dînais d'habitude au Concordia en compagnie d'un groupe de joyeux Scandinaves (dont Christian Ross) et un Anglais, Mr. Davies. Je dormais dans le studio d'un ami qui me louait un lit de sangle. Hormis ce groupe d'artistes, je ne fréquentais personne et il ne me venait pas à l'idée de vouloir le faire. Il me suffisait de contempler et de lire, mais surtout de contempler. Comme à Paris ou à Londres, je vivais alors intérieurement plus que tourné vers l'extérieur, sans être inactif pour autant. Ce qui était réel, et satisfaisant, c'était ce qui se passait en moi – je n'en étais pas toujours conscient, d'ailleurs.

6 novembre 1950.

Aux Aracoeli, ai été fasciné par une chapelle pleine de fervents adorateurs d'un Osiris enfant, visage de bambin, le reste du corps couvert de bijoux étincelants. J'adore les poupées. Les chamarrures de celle-là touchaient l'enfant en moi. Je sais ce qui se passe en moi, je sais que j'ai un tempérament artistique, ludique. Mais les fidèles eux-mêmes ne sont-ils pas, à leur insu, mus par des sentiments semblables, peut-être même à un degré plus grand ? Puisque tout a été analysé et "pédantisé", il ne fait pas de doute que les Allemands ont

19.

publié des tomes et des tomes sur la psychologie du culte. Il ne m'a pas été donné de les lire. J'aimerais écrire sur le sujet d'après mon expérience, très ancienne et pourtant si vive à ma mémoire.

18 octobre 1952.

Aux temps des héros et des courtisans on appréciait la "musique solennelle" et les rituels bien définis, laïques ou ecclésiastiques, et les artistes savaient ce qu'on attendait d'eux. Aujourd'hui, il en va autrement. Le divertissement n'est plus que passe-temps ou quête de la nouveauté, de quelque chose de différent. C'est cependant pour ces arts-là qu'il existe encore une réelle demande, et ils offrent, de fait, de grandes satisfactions. Il n'y a qu'à voir le cinéma, ou le chanteur en vogue qui réussit si bien auprès du public. Ils ont beau être grossiers, de peu de valeur et constituer de purs phénomènes journalistiques, ils n'en sont pas moins de vraies réponses à des besoins véritables et à un réel engouement. Le génie peut y trouver un terrain propice, alors qu'il n'y a rien à espérer de la majorité des arts visuels, enclins aujourd'hui à nier leur propre vocation, qui a toujours été et sera toujours la représentation, et non pas (sauf exception) l'abstraction.

27 octobre 1952.

En voiture hier de la Piazza Venezia au Palazzo Taverna sur le Monte Giordano. Ai reconnu au passage les sites familiers ; la distance semblait la même. Du Palazzo Taverna à la Piazza del Popolo, le long du Tibre à peine éclairé, elle m'a semblé infinie, au contraire. Etait-ce parce que je ne pouvais à chaque instant reconnaître l'endroit exact où nous nous trouvions ? Notre évaluation des distances semble dépendre de la succession de détails. Si nous en reconnaissons peu, la distance paraît plus grande, et vice versa. Même chose exactement en ce qui concerne le temps. Une rapide succession d'événements raccourcit la durée tandis qu'une succession lente, ou des événements espacés, semblent l'allonger ; une absence totale d'événements donne l'impression d'un temps infini. Donc, lorsqu'il n'y aura plus d'événements, le temps cessera, mais la durée subsistera et restera inchangée. Bref, le temps est une notion humaine.

*Détail d'une fresque de Francesco Salviati,
Palais Sacchetti, Rome.*

2 novembre 1952.

Je comprends bien pourquoi je déteste les rénovations qui supposent le réaménagement ou la destruction pure et simple de bâtiments que j'avais l'habitude de voir, et de rues auxquelles je m'étais habitué de façon visuelle mais aussi musculaire. Pourquoi devrais-je m'inquiéter, cependant, de ce que leur absence ne pèsera pas aux temps à venir ? Peut-être lions-nous notre propre survie (dans une certaine mesure du moins) à la pérennité de notre décor, peut-être est-ce notre deuxième mort que nous lisons dans sa disparition et son remplacement par un autre décor que notre fantôme ne pourra pas reconnaître ? Les fantômes ne durent jamais plus de deux générations, ou trois à la rigueur, à moins qu'ils ne soient condamnés à errer pendant des siècles, comme celui de Néron.

7 novembre 1952.

Une heure à Santa-Maria-del-Popolo. Hormis l'église elle-même, ai fureté dans les couloirs, les sacristies, les cabinets. Quelle variété ! Tombes de la basse et de la haute Renaissance, dont deux avaient été commandées par le défunt avant sa mort. C'est qu'il devait se méfier de ses héritiers ! Chœur avec plafond du Pinturicchio, au sommet de son art, et tombes d'Andrea Sansovino anticipant des compositions adoptées plus tard par Michel-Ange pour la sépulture de Jules II à Saint-Pierre-aux-Liens. Chapelle avec fresques du Pinturicchio toujours au sommet de son art ; bronze de gisant par Vecchietta, et deux Caravage placés d'une manière qui laisse penser que les commanditaires n'en avaient pas une haute opinion. Le charmant Jonas de la chapelle Chigi m'a encore séduit. Mais ce qui m'a fait le plus impression cette fois, c'est la tombe, datant de 1772 à peu près, d'une dame Odescalchi qui mourut à l'âge de vingt-deux ans en donnant naissance à son troisième enfant. Devant un tel chef-d'œuvre – l'énergie exprimée dans les feuilles, l'aigle, le tronc d'arbre et le mouvement de la draperie sont dignes du meilleur art chinois, sans parler des couleurs – j'ai été stupéfait qu'il fût si tardif, et ait été exécuté juste avant cet art décadent de ce que nous connaissons sous le nom de "style Empire".

Tombe de la princesse Odescalchi, dans la chapelle des Chigi,
à Santa Maria del Pópolo, Rome.

22.

La Vie sur le Nil,
détail de mosaïque,
Musée de Palestrina.

Détail de fresque de la Maison de Livie,
Musée des Thermes, Rome.

16 novembre 1952.

Le Capitole, ses palais, les forums, le Colisée, fascinants sous les projecteurs mais plutôt surexposés. Intéressant de voir les formes sous une lumière différente. Cela satisfait notre goût de la nouveauté, notre plaisir infantile de l'inhabituel. L'illumination des bâtiments révèle sans aucun doute des effets, des angles, des facettes bien moins évidents à la lumière du jour. Elle tient lieu de commentaire, d'interprétation de l'apparence quotidienne et diurne des choses dont elle est un aspect neuf et peut-être révélateur. Quant à moi, je m'en lasse vite, de même que, par exemple, de ces clichés photographiques qui tentent de montrer les sculptures de Michel-Ange sous des angles et des points de vue jamais envisagés par l'artiste. Ce qui compte, c'est ce que la lumière du jour dévoile lorsqu'on regarde un objet plus ou moins de face. Tout le reste n'est qu'un divertissement amusant et parfois curieux.

19 novembre 1952.

En période d'oisiveté, lors d'une insomnie matinale ou pendant une attente, avant de se mettre à faire quelque chose ou avant de prendre un train, le temps semble infini, comme s'il se cristallisait au lieu de passer. D'un autre côté, si l'on occupe son temps de façon plaisante, lorsqu'on est pris par un travail créatif, qu'on voyage, ou, bien sûr, qu'on est engagé dans une relation humaine enrichissante, le temps semble passer très vite. Et pourtant, lorsqu'on se souvient, les temps de souffrance s'éclipsent presque de la mémoire tandis que les moments joyeux sont amplifiés au fur et à mesure qu'on réussit à se rappeler les événements qui les composaient. Qu'est-ce donc que le temps ? Est-ce autre chose qu'une durée non ponctuée d'événements ? Sans doute a-t-on beaucoup réfléchi au problème, sans doute en a-t-on beaucoup discuté, et a-t-on beaucoup écrit à ce sujet depuis des millénaires, mais je n'ai rien lu de tout cela, je l'ai oublié. Pour moi, au moins, le temps est principalement subjectif – et de ce point de vue, il diffère de l'espace qui, lui, est concret, défini, semblable pour tous, qu'on le traverse vite ou lentement. De plus, l'espace est réversible alors que le temps ne l'est pas. Pourtant l'espace comporte un élément subjectif bien qu'on puisse mesurer les distances. Ici, dans la Via Ludovisi, je suis vraiment tout près de la Via Sistina : la distance, il y a soixante ans, ne m'aurait rien semblé. A présent, elle me paraît énorme. Je pouvais marcher sans problème de la Trinité-des-Monts jusqu'à Saint-Pierre, ou au Colisée, ou enfin jusqu'au bout de la partie bordée de monuments de la Via Appia. Aujourd'hui, cela représente des distances incommensurables. En vérité, je ne mesure plus l'espace en termes de distances mais en termes de fatigue.

24 novembre 1952.

L'art, autrefois, permettait de s'élever au-dessus de soi. Rares sont les disciplines dont on puisse en dire autant de nos jours. L'une d'elles, cependant, est le ballet, et c'est peut-être la raison pour laquelle, à l'instar des contes de fées, il plaît aux petits comme aux grands. Le ballet présente des êtres aussi beaux que nous désirerions l'être, aussi agiles et à même de bien utiliser leur corps. Il est limité, et court le danger de devenir monotone, du fait que nous n'avons que deux bras et deux jambes, et disposons seulement d'un nombre restreint de torsions du cou et de mouvements de la tête. Les hindous ont bien essayé de remédier à ces inconvénients en donnant à leurs divinités nombre de bras et de jambes, mais ceux-ci ne pouvant davantage se libérer du corps, on n'est parvenu qu'à multiplier la monotonie. Malgré ses défauts le ballet reste un monde féérique, un monde où les rêves les plus fous deviennent réalité, ne serait-ce que durant le bref moment où nous nous soumettons à son charme.

25 novembre 1952.

Musée des Thermes : la grande mosaïque polychrome de Palestrina est maintenant admirablement exposée. La représentation en clair-obscur de la vie sur le Nil y est presque moderne. Suis plus impressionné que jamais par la fécondité d'invention et la maîtrise des artisans de l'Antiquité jusqu'au milieu du troisième siècle après Jésus-Christ. Certains objets de l'Antiquité auxquels nous ne prêtons guère attention seraient considérés comme des chefs-d'œuvre si nous les prenions pour des réalisations des quatorzième, quinzième ou seizième siècles. Dans le domaine de la sculpture ou de la simple taille de la pierre, Donatello est le seul artisan de la Renaissance à soutenir la comparaison avec ses prédécesseurs de l'Antiquité. Le métier, dans quelque domaine que ce soit, jusqu'à la fin du IIIe siècle ap. J.C., s'est maintenu à un niveau exceptionnel de qualité, il ne s'est jamais dégradé ni amolli, comme c'est le cas, presque toujours, de l'art contemporain. De nos jours, un peintre commence par ressentir qu'il a une mission à accomplir : il n'a besoin d'aucun apprentissage technique de ses outils et se contente d'exprimer son génie avec ses seules bonnes intentions, et de la métaphysique.

28 juin 1953.

La "Maison de Livie", comme on l'appelle, a été transférée au Musée des Thermes et installée dans une pièce de la même taille et de la même hauteur que celle pour laquelle elle avait été conçue. Quelle pénétrante fraîcheur émane de l'herbe tout humide de rosée, des arbres, des fleurs ! Que les fruits scintillent ! Des grenades comme Renoir les peignait ! Le chant des oiseaux charme nos oreilles. L'horizon de la "Maison de Livie" demeure impénétrable, magique, voilé comme l'horizon des maisons de Lithuanie où j'habitais lorsque je me suis éveillé au monde. Et que dire du dessin des feuilles au premier plan, de leur contour hérissé ?

9 novembre 1953.

Suis retourné, après de nombreuses années, aux Thermes de Caracalla, dépouillés à présent de tout pittoresque, de ces efforts fournis par la nature pour prendre dans son giron ce que l'homme, dans sa lutte constante avec elle, a construit. Maintenant, les Thermes sont nus, d'une grande rigidité ; mais quelle prestance, qu'ils sont sublimes et toujours aussi impressionnants ! Ces masses colossales de brique, quelle était leur toiture, en avaient-elles même ? Comment les habillait-on, comment étaient-elles décorées, étaient-elles enduites de stuc ? Y obtenait-on un meilleur effet (peu importe que les dimensions aient été plus vastes) que dans les intérieurs de style classique dessinés au siècle dernier et que l'on peut encore admirer sur les paquebots italiens de la ligne Atlantique ? Les ruines ont l'avantage de permettre à notre imagination d'élaborer des reconstitutions tout à fait romantiques, sans l'embarras de détails ennuyeux et la présence probable d'un certain mauvais goût. Je doute fort que Karnak ou Baalbek, quand elles étaient habitées, eussent parlé à mon imagination et comblé de la même façon un goût comme le mien. Ces sites étaient peut-être lourds, pompeux et prétentieux.

10 novembre 1953.

Dans ma jeunesse, il était si facile d'accéder à la chapelle Sixtine depuis l'escalier du Bernin au nord de Saint-Pierre ! L'aménagement actuel est tout à fait inhumain : il résulte sans doute d'une nécessité bureaucratique visant à occasionner le plus grand dérangement au plus grand nombre. Il faut marcher des kilomètres, monter et descendre des escaliers, suivre des couloirs emcombrés d'objets qui retiennent votre attention et vous vident de toute énergie avant que vous atteigniez la chapelle Sixtine. Je suis épuisé par cette marche interminable, agacé par les hordes de touristes et les guides qui s'époumonent, si bien que je n'apprécie pas les fresques, ce dont je suis très déçu. Les meilleurs Botticelli sont sur le mur extérieur et le soleil empêche qu'on les voie. Le plafond paraît sombre et lugubre. Le "Jugement dernier" davantage encore. Que pourrait bien retirer de ces compositions un dilettante qui ne saurait rien de leur sujet ni de leur iconographie ? Un hindou ou un musulman pourrait en venir à la conclusion que l'admiration des chrétiens pour ces fresques est une affaire de culte plus que d'art. Nous sommes encore tellement influencés par la tradition qui veut qu'on les admire ! Il est difficile d'accepter que les fresques de la Sixtine sont bien plus agréables à regarder en photographie que dans la réalité.

26 novembre 1953.

Quand j'étais enfant, j'étais intrigué par les cornes que Moïse avait au front et qui brillaient de leurs propres feux. D'ailleurs, la plupart des représentations nous le montrent non pas avec des cornes mais avec des rais de lumière jaillissant de son crâne. Dans sa puissante statue de Saint-Pierre-aux-Liens, Michel-Ange, en bon sculpteur, nous montre un Moïse coiffé de cornes. Je me demande si cette tradition ne provient pas de ce que Moïse avait au front des protubérances, comme l'homme de Néanderthal ou les gorilles. Si l'hypothèse est bonne, elle pourrait suggérer que Moïse a réellement existé. Une particularité de ce genre ne pourrait guère avoir figuré parmi les attributs du législateur idéal, elle ne pourrait faire partie de la légende de Moïse, si elle n'avait pas été connue de tous, et, de ce fait, rapportée au fil des siècles et transfigurée lentement en rais de lumière.

30 novembre 1953.

Vingt fois je suis allé voir les manuscrits enluminés de l'exposition du Palazzo Venezia, et quel enseignement en ai-je tiré? Le vague sentiment qu'il y a tant à apprendre! Il faudrait toute une vie pour parvenir à maîtriser son sujet en matière d'art et de philologie. Il en va de même pour mes voyages. La première fois que je me rends dans une contrée, dans les pays scandinaves, en Afrique du Nord, en Egypte ou au Proche-Orient, tout ce que j'en rapporte est une idée de ce qu'il me faudra voir et étudier durant ma deuxième visite. Mais il n'y a jamais de deuxième visite. Il y a longtemps que je me suis aperçu que tout ce que nous faisons sur terre (si longtemps que nous vivions) est de décider quelles recherches nous entreprendrions si nous disposions de l'éternité, si nous avions le temps de tout faire, sans hâte, sans qu'un nouveau sujet d'intérêt vienne chasser le précédent. Maintenant, je ne peux m'empêcher de me considérer comme un charlatan si des gens prennent trop au sérieux ce que je raconte.

24 juin 1955.

Ostie, ultime lumière d'après-midi d'un jour doré embrasant les murs de brique. Ce sont des Claude Lorrain, mieux encore des Hubert Robert, des Corot! Que j'aurais aimé m'y abandonner à la méditation, oublier que j'avais des jambes, perdu dans le monde onirique qu'évoque le "Paysage avec ruines". Combien de ruines n'ai-je pas admirées en tous lieux dans ce monde méditerranéen! Que j'ai envie de les admirer encore, de tout mon corps, de toute mon âme! Le corps renonce, se refuse à servir l'âme, confinée de plus en plus à un cercle qui va s'amoindrissant, et il n'y a plus de place que pour des rêves irréalisés.

Maison des Auriges,
Ostie.

Saint-François du Désert,
lagune de Venise.

VENISE. JUILLET 1951 - JUIN 1954.

7 juillet 1951.

Je suis d'abord tombé amoureux des peintres, des sculpteurs et des architectes vénitiens, beaucoup moins de Venise elle-même, de *Venise la ville*.* Maintenant, c'est elle qui me fascine et me réjouit, à chaque pas, quelle que soit la lumière et, je dois l'avouer, presque quel que soit le temps. Quant aux peintres, je n'ai pas renié mon premier amour. Je les aime à présent non plus seulement pour les qualités éminemment picturales de leurs œuvres, mais aussi parce qu'ils sont les peintres les plus classiques. Dans le sens où est classique l'art grec du cinquième au premier siècle. Au XVᵉ siècle, ils sont d'une grande douceur dans la raison, d'une grande sérénité dans la profondeur du sentiment, et ils sont entièrement exempts de rhétorique. Dans les meilleurs tableaux de Titien, sublimes ; chez le Tintoret, imaginatifs dans l'illustration, ce par quoi j'entends qu'ils ont une grande force poétique d'interprétation. Puis il y a l'architecture palladienne, Longhena et enfin Tiepolo et ses précurseurs, dont le plus classique de tous, Paul Véronèse.

---

* En français dans le texte.

9 juillet 1951.

J'ai débuté ma carrière à Venise comme expert en tableaux italiens, et lorsque j'y repense, je m'aperçois que c'est seulement durant les premières années que je m'inquiétais de recueillir l'opinion des autres et que j'alignais mes idées sur celles de Morelli. Après quoi, les œuvres datées et assorties d'une histoire furent mes seuls repères dans les territoires vagues que hantent les connaisseurs d'art. Je ne consultais jamais les autorités, il ne m'est jamais venu à l'esprit de contredire une attribution pour la simple raison qu'un contemporain venait de la donner. Naturellement, nombre de mes propres attributions ont été anticipées par d'autres. Dans le cas de Giorgione, par exemple, il est presque impossible que quelqu'un n'ait pas déjà suggéré une attribution puisque tous les tableaux vénitiens romantiques du début du seizième siècle lui ont été attribués à un moment ou à un autre. Après que j'eus attribué à Giorgione le "Col Tempo" – je croyais alors que personne n'y avait jamais pensé –, un étudiant américain me signala qu'un obscur auteur, il y avait très longtemps, l'avait déjà fait.

10 juillet 1951.

Hier en bateau à moteur jusqu'à Saint-François-du-Désert. Des gens du cinéma étaient en train de tourner un documentaire : profanation, vulgarisation de ce qui procurait autrefois l'extase spirituelle. Dans les champs, frères faisant les foins, aussi beaux, autant pour les couleurs que pour les gestes, que les moines bouddhistes des estampes japonaises. A l'intérieur de la clôture, un beau cloître et, au-delà, un jardin avec deux aigrettes de palmiers, comme dans un Lazzaro Bastiani, et une espèce de pagode en ruine, tout envahie de feuillages et couronnée de fleurs rouges. Elle abrite deux souches grises et sans âge, supposées être les restes d'un arbre planté par Saint François. En y ajoutant une touche par-ci par-là, des sculpteurs chinois auraient pu métamorphoser ces vénérables reliques en œuvres d'art.

3 octobre 1953.

A qui sert une exposition comme celle de Lotto? Pour le public, trop peu de choses présentent un quelconque intérêt ou procurent un plaisir esthétique. Pour le *buon gustaio*, l'amateur, trop de tableaux indifférents. Seuls les soi-disant historiens d'art, c'est-à-dire les experts chargés des attributions, sont susceptibles de tirer profit de l'exposition des œuvres d'un artiste aussi inégal. Et que les tableaux de Lotto sont difficiles à exposer!

Enlevés à la pénombre des autels qu'ils ornent d'ordinaire, montrés à la lumière du jour, les retables de Bergame, face à face et, pourrait-on dire, s'éclairant l'un l'autre, nous laissent la fâcheuse impression d'un excès de contrastes un peu gauche. De plus, trop de tableaux et de portraits ne sont exposés que pour suggérer des solutions aux experts chargés des attributions. Cependant, on ne peut s'empêcher de reconnaître et de louer l'effort fourni par le professeur Zampetti et son équipe, sous les auspices de la Biennale, effort qui leur a permis de réunir, de nettoyer soigneusement et de restaurer un grand nombre de tableaux.

6 octobre 1953.

Le comte Cini m'a emmené sur l'île de San Giorgio Maggiore. J'ai été stupéfait par les progrès accomplis en deux ans, depuis le temps où Nino Barbantini, principal conseiller de Cini pour l'exécution de ce plan grandiose, vivait encore, et où il nous a accompagné dans cette même promenade. Je me souviens très bien avoir été frappé alors par la coïncidence entre la destination monastique d'origine, et l'idée de transformer ces bâtiments monumentaux en institution civique et culturelle. Dans le nouveau Moyen-Age où nous sommes en train de plonger, nous aurons besoin, à nouveau, de tels établissements quasi monastiques pour sauver la civilisation et la faire progresser. Par civilisation, j'entends toujours l'effort entrepris en vue d'humaniser l'humanité et de faire naître les conditions favorables – optimales – pour atteindre ce but. Dans le monde sombre et bruyant, amateur de coups, de bombes et de guerre, où nous avons déjà plongé, peut-être ces institutions néo-monastiques pourraient-elles jouer le rôle qu'elles ont tenu pendant des siècles et qu'elles ont abandonné il n'y a guère que deux cents ans. Elles devront seulement se procurer une théologie plus appropriée, ou une nouvelle mythologie opérationnelle. Ce qui ne semblait qu'un vague plan il y a quelques années, a été réalisé de façon presque miraculeuse. Nous avons parcouru les cloîtres, monté le grand escalier de Longhena, traversé de splendides salles de conférence, longé de vastes couloirs, pénétré dans de spacieuses salles de lecture et de repos, de délicieux appartements pour les érudits de passage, une noble bibliothèque, un couvent, une école de commerce et un terrain de jeux pour enfants de prolétaires, une autre pour les orphelins des marins, un théâtre à ciel ouvert et un autre fermé. Le confort du présent s'harmonise avec l'élégance du passé. A la base de toute cette entreprise, il doit y avoir le *Freude am Ursache sein* et, bien sûr, la sensation de liberté ressentie quand on parvient à mener à bien un projet. Ces deux éléments doivent dominer chez le Faustien couronné de succès. Qu'est-ce qui peut être plus exaltant que d'être libre d'accomplir tout cela, d'être maître, créateur et ordonnateur ? J'ai décelé cette qualité faustienne chez Vittorio Cini lorsque nous nous promenions. Il vit pour cette création et rien ne le rend plus heureux que de la montrer et de l'expliquer à quelqu'un qu'il croit capable de l'apprécier.

7 octobre 1953.

Les visiteurs de l'exposition Lotto paraissent plus intéressés, semblent moins s'ennuyer que je ne m'y attendais. J'aimerais inviter chacun d'eux à ne pas oublier l'importance de Bergame et de ses environs en relation avec l'exposition, et à ne pas manquer surtout de voir les fascinants cartons de Lotto pour les mosaïques de Santa Maria Maggiore, ni les délicieuses fresques à Trescore et à Credaro. En me promenant d'un tableau à l'autre, de façon à les comparer, en contemplant les détails des scènes de genre et des paysages enchanteurs de Lotto, me revient sans cesse à l'esprit ce moment, quand j'étais jeune, où je m'épris de ce peintre charmant et décidai de l'étudier minutieusement. Les tableaux qui m'attirèrent d'abord et me lancèrent dans ma recherche furent le groupe de famille, si simple, si doux et si affectueux de la National Gallery à Londres, – avec le vaste paysage marin en arrière-plan –, les jeunes époux du Prado – aux subtiles touches d'humour –, et le petit et délicat Saint Jérôme dans un paysage romantique, au Louvre.

8 octobre 1953.

Quand j'étais encore un jeune homme de vingt-deux ans, j'appréhendais une œuvre d'art avec une réceptivité pleine de vénération et un brûlant désir de la sentir, de l'apprécier et de la comprendre. Pour Lotto, j'entreprenais d'incessants pèlerinages, en toute saison et par tous les temps, affrontant à tout moment, pour aller admirer un tableau dans une église lointaine et difficile d'accès, des obstacles pratiquement aussi insurmontables que ceux rencontrés par les pèlerins du Moyen-Age. Chemin faisant, mon ardeur, mon entrain augmentaient jusqu'à ce que je parvienne en état de grâce devant le tableau que je désirais voir. Quand je m'en éloignais, j'étais empli de son image que j'avais le temps d'absorber et de fixer à jamais dans ma mémoire. Après trois ou quatre ans de fréquentation de Lotto, et de dévotion pour lui, son œuvre était plus présente à mon souvenir que si j'avais réuni dans une seule pièce sa production entière, durant tout ce temps, j'avais assimilé, inconsciemment et, tout aussi inconsciemment, j'avais éliminé, j'avais rapproché, et j'avais élaboré l'image composite qui finit par apparaître chaque fois que je prononce le nom de "Lotto." J'avais peu de reproductions et n'en avais nul besoin, mes souvenirs des tableaux étant si nets.

9 octobre 1953.

Sans perdre la ferveur du pèlerin, j'eus vite acquis l'entrain du sportif, du pionnier et de l'aventurier, la sensation du conquistador espagnol qui le premier découvrait et contemplait le Pacifique. Où il y avait un Lotto à découvrir ou à voir, j'allais, sans considération pour le vent, la pluie, le froid ou l'inconfort. Le seul moyen de transport, il y a soixante-sept ans, était le *corriere*, lent, disloqué, bondé : je ne le prenais jamais. Lorsque c'était possible, je marchais et, sinon, je louais une *carozzella*, voire une *baghere*, et j'emportais toujours très peu de bagage. Souvent dans les villages les plus retirés des Marches, il n'y avait pas à manger autre chose que du pain dur, des oignons et des anchois, mais tous les jours je commençais une merveilleuse aventure et goûtais la fraîcheur d'une matinée de printemps ou d'automne dans une vallée de la région de Bergame, comme si j'avais bu une potion délicieusement vivifiante. Chaque retable se trouvait dans son contexte, au frais ou dans la chaleur, dans la pénombre d'une église, dont l'atmosphère de sanctuaire était aussi grisante que l'exaucement d'un vœu ; chacun est

Lorenzo Lotto,
Messer Marsilio et son épouse,
Musée du Prado, Madrid.

resté gravé dans ma mémoire comme une individualité cristalline – et pas seulement comme un élément de l'œuvre d'un peintre. Toutes ses nuances persistaient dans mon souvenir, et son goût sur mon palais.

10 octobre 1953.

Ce n'était pas la même chose que de voir la totalité de la production du maître (du moins ce qui en a survécu), le bon, le mauvais, le médiocre, rassemblés dans des salles engorgées, sans la lumière ni l'espace nécessaires à l'appréciation, dépourvus même de leur parure : le cadre, dont je ne sais plus quel peintre français du siècle dernier disait qu'il était la récompense des bons tableaux (n'importe quel cadre vaut mieux qu'aucun cadre, à mon avis). Au Moyen-Age et à la Renaissance, le cadre était aussi estimé et coûtait autant que le tableau. De nos jours, on a la manie d'exposer les toiles, tels les Bellini il y a quatre ans, comme des cadavres enveloppés dans des suaires, ou, tels ceux de l'exposition Lotto, nues et grelottantes sur des fonds froids et gris.

11 octobre 1953.

Quelles rencontres intéressantes et amusantes cette quête de Lotto n'a-t-elle pas occasionnées avec des érudits passionnément dévoués à l'étude de l'art et de l'histoire de leur ville ! Il y eut d'abord Pietro Giannuizzi, de Lorette, qui découvrit le journal de Lotto juste à temps pour que je puisse l'utiliser dans mon livre sur le peintre. Puis je me souviens du chanoine Giovanni Annibaldi, de Iesi, qui préserva de l'abandon le fascinant retable de Sainte-Lucie, et d'autres pièces de Lotto conservées dans sa ville, et qui publia des documents les concernant. Il y avait aussi le directeur de la *Rivista Misena*, Anselmi. Et l'architecte du monument à Victor-Emmanuel à Rome, Giuseppe Sacconi. A Iesi, j'admirai les tableaux, mais également le massif et majestueux palais conçu par Francesco di Giorgio, peut-être l'Italien le plus versatile après Léonard. Je me rappelai avec délice que c'était là, sur la Piazza, sous une tente somptueuse, que fut porté au monde, *coram populo*, l'enfant, le *Puer Apuliae*, destiné à devenir la *Stupor Mundi*, l'un des personnages les plus extraordinaires de l'histoire, l'empereur Hohenstaufen Frédéric II.

12 octobre 1953.

L'un des centres d'excursion que je fréquentais le plus était Macerata, une ville de province qui avait dû son importance au XVIIIᵉ siècle à sa position de relais à mi-chemin entre Rome et Bologne. Je fus surpris de découvrir qu'une colonie anglaise, pour des raisons économiques ou de santé, avait jugé bon d'y élire résidence. Je me souviens très bien d'une certaine Giulia qui préparait de succulents dîners à l'auberge quand je rentrais d'une dure journée de visites dans les bourgs et les villages des environs. Il y avait un groupe d'ingénieurs autour d'une table ronde, et nous nous amusions des joutes qui les opposaient à elle. Il était étonnant d'entendre énoncer des notions d'économie et de politique aussi saines ; je rencontrais même un certain intérêt pour mes propres préoccupations. Giulia était une véritable *mulier fortis* de la bible et, quoique dépourvue de la grâce de la Locandiera de Goldoni, elle me la rappelait par son franc-parler et la vivacité de ses répliques.

Pour moi, Lotto est tout cela, une partie intégrante et inoubliable de ma jeunesse, quand l'espoir était une brise chargée d'heureuses prévisions. J'ai écrit sur lui dans la mesure de mes moyens. Il n'y a rien dont je ne m'enorgueillisse tant que le fait que, malgré toute mon admiration pour lui à l'époque, je l'aie à peine mentionné dans mon livre sur les peintres vénitiens, et n'aie jamais perdu le sens des valeurs au point de le comparer à Titien ou au Tintoret.

15 octobre 1953.

Où que j'aille, le sujet qui passionne tout le monde est le plan de l'architecte américain Lloyd Wright pour une *palazzina* que l'on construirait sur le Grand Canal, juste à l'endroit où il décrit une courbe – si bien que le bâtiment serait visible de loin. Hier on m'a montré une photo du projet. Cela m'a semblé quelque chose d'assez amusant, de plutôt ludique, copié, dirait-on, des tableaux architecturaux du peintre napolitain Monsù, parfait pour une lanterne ou même un pavillon dans un jardin public de banlieue, mais certainement pas adapté, en un point aussi visible, sur le Grand Canal de Venise. On répondra que de nombreuses bâtisses qui le bordent déjà ne devraient pas y être, et que quelques-unes sont de véritables horreurs. Soit, mais elles ne se distinguent pas ostensiblement de leurs voisines et aucune école de jeunes et

Lorenzo Lotto,
Saint-Jérôme au désert,
Musée du Louvre, Paris.

distingués architectes ne nous force à les admirer, comme ce serait le cas pour cette création d'un génie romantique et imaginatif. Les innovations les plus tristes, celles qui s'intègrent le moins au décor vénitien, ne sont pas situées, jusque là, sur le Grand Canal. Les zones publiques avaient été épargnées. Personne n'avait eu la témérité d'usurper un mètre carré de sol sacré. Cependant on a autorisé la construction, sur le Campo San Moisè, autrefois si délicieux, d'un vaste édifice volumineux, dont l'avancée dissimule en grande partie l'une des plus belles tours médiévales qui soient.

Il n'y a pas qu'à Venise que l'on a permis aux constructions de s'allonger en hauteur, sinon en largeur. Mes pensées vont à Florence où les abords du Ponte Vecchio blessent un œil tel que le mien, au point que je fais tout ce qui est en mon pouvoir pour les éviter.

Si feu Mussolini était devenu l'Auguste que son ambition lui faisait rêver d'être, il aurait presque entièrement rasé la Rome médiévale et de la Renaissance. Tout aurait été sacrifié aux besoins pressants de la circulation.

Ces derniers sont les pires ennemis de la beauté des cités les plus célèbres d'Italie, dont les artères tracées et construites à une époque où l'on commençait à peine à utiliser les véhicules à chevaux sont souvent étroites et tortueuses, et se prêtent mal à la circulation d'automobiles conduites par des fous de la vitesse. Le problème exige de la patience, du tact et du goût.

18 mai 1954.

Scuola Grande di San Rocco. Somptueux, magnifique, spacieux, ce cercle d'une guilde vénitienne! Quant aux tableaux du Tintoret, l'interprétation et la technique sont du niveau de Rembrandt. Dans l'une des compositions, le "Christ devant Pilate," il surpasse tous ceux qui ont traité le thème. Dans la "Tentation," Satan est un mélange de grossièreté, d'insolence et d'arrogance provocatrice. Les paysages sont parmi les plus romantiques, les plus évocateurs, les plus exaltants et les plus nostalgiques jamais créés. En bref, le Tintoret se montre ici l'un des plus grands illustrateurs que l'histoire de la peinture ait produits. Il utilise des couleurs riches et bizarres, et néanmoins convaincantes. A l'origine ses tableaux étaient éclatants, frais et lumineux comme des Renoir, ainsi que le prouve un morceau de toile plié, et donc protégé du

Le Tintoret,
La Fuite en Egypte (détail),
Scuola di San Rocco, Venise.

Le Tintoret,
Jésus-Christ devant Ponce Pilate,
Scuola di San Rocco, Venise.

soleil et de la saleté. D'ailleurs, je crois les préférer dans leur état actuel, avec leurs tons adoucis par la patine du temps.

22 mai 1954.

A la Fenice, pour entendre Gieseking jouer Beethoven. Durant les pauses, le murmure du public dans la salle ne me paraissait ni humain, ni même animal. C'était comme le rugissement étouffé de vagues déferlant sur un littoral rocheux, et les applaudissements, comme le bruit de vitre brisée d'une chute d'eau. Si je n'avais vu la scène, si je n'avais su ce dont il s'agissait, je n'aurais jamais imaginé que les sons qui parvenaient à mes oreilles émanaient d'êtres humains. Dommage que je n'ai pas pensé à cela quand j'écrivais *Voir et Savoir*, car j'aurais pu écrire une séquelle, sous le titre *Entendre et savoir*. En regardant plus bas, depuis ma loge, je voyais des taches couleur chair et des touches de nombreuses autres couleurs, qui ne m'auraient jamais amené, par elles-mêmes, à deviner qu'il s'agissait de silhouettes et de visages humains. De plus en plus, je m'aperçois combien les sens de la vue, de l'ouïe et de l'odorat reposent sur un savoir préalable.

24 mai 1954.

Je rencontre ici beaucoup de mes collègues : cela me rappelle que naguère encore, on emmenait sur une île les chiens de Constantinople pour les rendre à l'état de nature, et les faire s'entre-dévorer ou mourir de faim : ils s'y délimitaient des territoires très précis. Malheur à celui qui s'égarait dans celui du voisin ou pire, tentait de se l'approprier ! Il en va de même aujourd'hui avec les érudits. Je suis, par exemple, un chien autorisé à écrire sur la peinture italienne du quatorzième, du quinzième et du seizième siècle. Toute publication de ma part sur un autre sujet offense, et est attaquée ou ignorée : mon *Caravage* par la majorité des dix-septièmistes, mon *Esthétique et Histoire des arts visuels* par tous ceux qui écrivent sur l'esthétique et, de même, mon *Voir et Savoir* ainsi que mon *Arc de Constantin* par tous les archéologues. Moi-même, je ne prends pas vraiment ombrage de l'ingérence de spécialistes d'autres périodes et d'autres écoles lorsqu'ils produisent des livres sur les peintres italiens de la période dont je suis spécialiste, mais je juge leurs ouvrages avec sévérité. Je ne trouve guère utiles des écrits du genre de ceux de Malraux sur l'art parce qu'il ne voit dans celui-ci qu'une affaire de fond et d'illustration – bien qu'il fasse des remarques intelligentes pour quelqu'un qui n'est pas de la partie.

26 mai 1954

Il me semble qu'il m'a fallu toutes ces années, depuis 1888, pour apprendre à apprécier pleinement Venise -- encore que je sois certain que, s'il m'est donné de rester lucide et bien portant, je ne cesserai de l'apprécier davantage. Maintenant j'apprécie même la presse dans les *calli*, sur la *Piazza* et sur la *Piazzetta*. Hier à sept heures, la lumière rasait presque l'horizon, j'ai marché jusqu'à la pointe de la Douane Maritime, et ai observé le rougeoiement du coucher du soleil qui embrasait le Palais des Doges et San Giorgio. La première fois que j'ai assisté à ce phénomène, j'ai été transporté sans comprendre pourquoi, si ce n'est d'une façon vague et trouble. Maintenant, le sentiment qu'il me procure est clair, libre, objectivé; je peux même l'exprimer – il n'en est plus au stade de la conception mais à celui, joyeux, de l'enfantement. L'éminent sociologue américain Thorstein Veblen a inventé la formule "gaspillage ostentatoire" ("conspicuous waste"). Il n'est pas nécessaire d'en donner une définition puisqu'on nous en fournit des exemples chaque jour, et pas uniquement aux Etats-Unis.

A Venise, on glisse le long de canaux si étroits – ce sont à peine des caniveaux parfois – qu'il faut se tordre le cou pour voir les édifices de chaque côté. La plupart du temps, ceux-ci ont de nobles proportions, sont ornés de fenêtres encadrées par des colonnes d'une extrême élégance surmontées de chapiteaux de pierre auxquels on a donné la forme de coussins moelleux de violettes et de mousse.

Pourquoi ce gaspillage ostentatoire? (Rares sont ceux qui, passant par là, lèveraient les yeux pour admirer et envier cette profusion!) Probablement parce que d'autres avaient élevé des constructions d'égale magnificence sur des sites plus favorisés et que les propriétaires ne voulaient pas en faire moins. Plus vraisemblablement encore parce que, en raison des dépenses engagées, aucun architecte, ni constructeur, ni sculpteur n'aurait pu faire moins non plus. Tous étaient élevés dans une tradition et une profession qui n'admettaient guère les fantaisies ni le travail bâclé, chacun mettait son honneur et trouvait du plaisir à donner son maximum, et parvenait ainsi à exprimer le meilleur de lui-même.

28 mai 1954.

Hier à Saint-Marc, grand-messe célébrée par le cardinal Spellman. Parterre et galeries bondés. Je suis resté debout pendant une heure entière, emporté par l'occasion et le lieu. L'intérieur de Saint-Marc était plus beau, plus lumineux, plus complètement byzantin que jamais. La vue et l'ouïe, tous mes sens, étaient ravis, et mon esprit aussi. J'étais entraîné par cet appel, cette élévation, cette extase, d'autant plus que la musique – celle des musiciens comme celle de la congrégation – était le fait d'amateurs et paraissait donc entièrement spontanée. A la fin, le cardinal monta à la chaire, non pas pour faire un sermon, mais pour parler de lui-même, de sa joie à venir officier à Saint-Marc, et de l'amour qu'il porte à Venise et à toute l'Italie. Il n'avait pas un accent américain en parlant italien, mais un accent anglais prononcé. Cela m'a amusé de penser que le chef de la communauté irlandaise aux Etats-Unis, dont l'objectif premier est la perte de l'Angleterre, ne pouvait s'empêcher de trahir par son accent sa dette envers elle.

29 mai 1954.

Il y avait hier soir tout un bateau de musiciens napolitains, qui chantaient "Funiculi Funiculà" et d'autres chants napolitains déjà entendus quand je suis arrivé pour la première fois à Venise en septembre-octobre 1888. L'embarcation, gaîment illuminée, était suivie par des gondoles décorées de lanternes chinoises et transportant des touristes américains. Pour eux, cette fantaisie nocturne fait partie de Venise, elle représente pour beaucoup peut-être tout ce qu'ils retiendront de leur visite. D'ailleurs, de quoi peuvent-ils se souvenir, ces touristes qui ne voyagent plus seuls mais en groupes, après deux ou, au plus, trois jours passés dans une ville telle que celle-ci ? Témoin l'histoire de cette femme âgée dont la fille ne parvenait pas à lui faire se rappeler Venise, jusqu'à ce qu'en désespoir de cause elle lui demandât : "Mais, Maman, tu ne te souviens pas de l'endroit où nous avons acheté les gants à cinq boutons ?"

12 juin 1954.

Le "Martyre de Saint Laurent" de Titien est l'une des représentations les plus romantiques qu'on ait jamais peintes – nuit noire illuminée par les torches et le foyer sous la grille, le très beau nu du saint qui se tord, les colonnes du temple surgissant de l'obscurité tels des spectres, tout concourt à créer une atmosphère grandiose et sublime. En tant qu'étude de jeu d'ombre et de lumière, il n'a pas son égal. Le Caravage l'a peut-être, que dis-je, l'a certainement vu, et a dû en être profondément marqué. Pourtant, dans l'exposition qui lui était consacrée, alors que ses précurseurs de l'école de Crémone étaient présentés, cette source de tous les développements ultérieurs du clair-obscur ne l'était pas. Les organisateurs n'avaient-ils jamais vu ce Titien à l'église des Jésuites, ou l'ont-ils ignoré délibérément, en signe d'opposition à la thèse suivant laquelle le Caravage doit presque tout aux Vénitiens? Quant aux peintres de l'école de Crémone, qu'étaient-ils sinon des imitateurs de Titien et de son clair-obscur?

20 juin 1954.

Sur le balcon ce matin, de quatre heures et quart à cinq heures moins le quart, lumière calme et douce, ton nacré et touches rosées çà et là dans le ciel. L'eau sans une ride. On aurait dit la marée montante, mais le courant allait dans l'autre sens. La Salute telle une gravure, ou une eau-forte plus exactement, à la Whistler. Ai regardé la lumière monter progressivement jusqu'à ce que je sois trop fatigué pour attendre qu'un plein soleil illumine le ciel en son entier. Giovanni Bellini et ses successeurs immédiats peignaient des ciels d'aurore, sans doute parce qu'ils avaient compris qu'il était impossible de peindre la lumière du soleil. Ils peignent un ciel pâle et sans soleil, si évocateur, même chez de médiocres talents comme Basaiti ou Bissolo! Chez Bellini lui-même le ciel est toujours le ciel pâle de l'aube, sauf dans la "Résurrection" de Berlin, où celui qu'il dépeint est parcouru par de petits nuages empourprés qui éveillent en nous un sentiment de fraternité pour Jésus, qui ressuscita des morts aussi resplendissant que le soleil victorieux des ténèbres.

24 juin 1954.

Lorsque je me rappelle mes premières visites à Torcello, je me souviens que ce que j'aimais, et que j'aime toujours, n'était pas l'intérêt archéologique de l'architecture et des mosaïques, mais l'atmosphère : comme à Ravenne, mais de façon plus poignante, comme si le temps, ayant engouffré tout ce qui avait été fait il y a si longtemps, régnait en maître aujourd'hui, serein et apaisant, telle une berceuse, d'autant plus lointain qu'il n'y a pas d'intermédiaire. A présent, après huit siècles dont rien ne reste sinon deux églises, la basilique et l'église ronde avec son péristyle, on imagine vaguement tout ce que ces édifices devaient représenter aux yeux de ceux qui les ont érigés, et les raisons pour lesquelles il leur paraissait nécessaire de les construire. On pense à la grande ressemblance du bâtiment rond avec des constructions vues dans le Hauran et ailleurs au Proche-Orient. Autant d'élans de l'imagination qui façonnent le sentiment que j'éprouve de me trouver à Torcello.

25-28 juin 1954.

Les histoires de l'art et les meilleurs guides touristiques disent de Saint-Marc que c'est un édifice suprêmement byzantin. Je me demande dans quelle mesure le public averti a bien saisi cela et l'importance de Saint-Marc. Non seulement la basilique est entièrement byzantine, malgré des enjolivures plus tardives, mais c'est le bâtiment byzantin le plus typique, le plus complet et le plus réussi de tous ceux qui existent encore.

Les érudits prétendent que c'est une copie exacte de l'église des Apôtres à Constantinople qui fut rasée par le sultan Mohammed II le Conquérant, et sur le site de laquelle fut élevée la mosquée Fatimieh. L'excuse avancée était que l'église des Apôtres tombait en ruines et menaçait de crouler. Une raison plus vraisemblable de ce vandalisme est, à mon avis, que les déambulatoires de l'église abritaient les sarcophages des empereurs chrétiens, et risquaient, à l'instar de la basilique de Saint-Denis, d'attiser les passions patriotiques. En disant que Saint-Marc est l'édifice byzantin le plus complet que nous possédions, je n'oublie pas Sainte-Sophie, dont l'attrait extérieur est presque dépourvu d'attrait. A l'intérieur, l'espace est plus étonnant mais moins harmonieux ; Sainte-Sophie est devenue, en outre, un musée froid et lugubre depuis

*Santa Fosca, Torcello,
Lagune de Venise.*

que Dieu ne la fréquente plus. L'intérieur nous ravit, avec ses colonnes de porphyre, leurs merveilleux chapiteaux si variés, et les précieux lambris. Mais elle est par ailleurs d'un vide sinistre. Il est difficile de l'imaginer à l'époque faste où elle était la cathédrale, non seulement d'un diocèse, mais de tout un empire.

La richesse de Saint-Marc, à l'intérieur comme à l'extérieur, est exceptionnelle. De la Piazza ou de la Piazzetta, il est impossible de voir apparaître un pan de mur qui soit nu. Il faut, pour ce faire, se rendre dans la cour du Palais des Doges ou regarder, depuis le canal, à l'arrière, à travers le passage qui mène à la sacristie. Partout où l'on aperçoit l'ouvrage en brique, c'est un édifice byzantin brut que l'on découvre. A l'intérieur, toute la charpente est dissimulée par d'innombrables panneaux de marbres d'origines diverses. Parmi les colonnes de porphyre (ou taillées dans d'autres pierres rares), certaines sont surmontées de chapiteaux figurant de la paille tressée, du bronze finement travaillé, ou encore les sommets de pins courbés par la bourrasque, tout cela provenant du monde byzantin sinon de Constantinople même. De telles colonnes se dressent, groupées, dans l'embrasure des trois entrées principales mais aussi, isolément des deux côtés des portails intérieurs de l'atrium. La façade et les côtés, surtout le côté nord, sont entièrement recouverts de bas-reliefs byzantins, de la haute et de la basse époque, représentant des sujets sacrés et profanes. On trouve même le rare motif byzantino-sassanide de l'apothéose d'Alexandre le Grand. Nous avons là une collection représentative de la sculpture byzantine. A l'angle sud-ouest du balcon se trouve une belle pièce de musée : la sous la forme d'une tête en porphyre d'un empereur byzantin qui, durant une révolte, a eu le nez coupé. Sur le côté sud figurent les deux groupes de l'empereur Dioclétien et ses collègues impériaux se donnant l'accolade. A inventorier une à une ces sculptures, de l'intérieur et de l'extérieur de la basilique, on remplirait un volumineux catalogue. A-t-il jamais été dressé ?

Les mosaïques, au-dessus du balcon, sauf celle de l'extrême gauche, ont disparu. Nous les trouvons reproduites, telles qu'elles existaient encore à la fin du XVᵉ siècle, dans le tableau de Gentile Bellini, à l'Accademia, qui dépeint la procession du Corps du Christ. Si l'on avait seulement la volonté de les remettre en place, ce ne serait pas difficile. Les meilleures mosaïques à l'intérieur de la basilique sont situées dans les coupoles et sur les murs du transept droit. Dans les coupoles, les personnages représentant des saints font en même temps partie de la

Apothéose d'Alexandre le Grand,
(bas-relief byzantin),
Basilique Saint-Marc, Venise.

charpente de l'édifice. Sur les murs, l'espace est si grand entre les différents groupes des compositions narratives, et les personnages des groupes sont si verticaux, que ces compositions n'ont pas l'air de cartons illustratifs comme les mosaïques du XVIe siècle dans la nef. Dans l'atrium, les compositions comportent plus de personnages, puisqu'elles sont copiées d'anciennes illustrations des Psaumes, mais, elles aussi, évitent les effets d'horizontalité et laissent les lignes verticales conduire l'œil vers les chapiteaux des coupoles.
Dans le chœur, les colonnes des tabernacles sont prébyzantines, et l'écran d'or, la Pala d'Oro, est non seulement l'ouvrage d'émail le plus

merveilleux, et le plus lumineux qui soit, mais, en tant qu'illustration, le plus précis : il surpasse tous les ouvrages byzantins du même genre et, de loin, tous les émaux du Moyen-Age, y compris le chef-d'œuvre de Nicolas de Verdun à Klosterneuburg près de Vienne.

A l'exception des peintures murales dans les monastères et les églises yougoslaves, des grandioses mosaïques, malheureusement trop restaurées, de Daphné dans les environs d'Athènes, des mosaïques, abondantes mais de qualité médiocre, à Saint-Lucas sur les pentes de l'Helicon, et de quelques autres à Salonique, il n'y a pas un endroit dans tout le monde égéen où l'on puisse mieux étudier qu'à la basilique Saint-Marc les compositions narratives byzantines d'avant 1300. Même les mosaïques de la fin du XIVe siècle dans les chapelles latérales peuvent soutenir la comparaison avec n'importe quelles autres dans le monde byzantin, sauf les plus anciennes mosaïques de la période de déclin à la mosquée Karieh Djami de Constantinople. Par un singulier caprice de la fortune, il n'y a qu'en Italie qu'on puisse étudier et admirer à la perfection l'iconographie byzantine classique : à Saint-Marc, comme nous venons de le voir, et encore davantage en Sicile, à Monreale, mais surtout à la Chapelle palatine de Palerme.

Bien sûr, rien ne peut remplacer l'enchantement de découvrir l'art byzantin là où il s'est développé et a connu le plus d'éclat, quel que soit le triste état dans lequel il se trouve aujourd'hui. Mais, en visitant les contrées égéennes et les rares trésors qu'elles possèdent encore, on s'aperçoit de toute la richesse de l'Italie et de la Sicile, en architecture classique comme en art byzantin. Souvenons-nous seulement des temples de la Grande Grèce, tels ceux de Paestum, de Syracuse, d'Agrigente, de Sélinonte et de Ségeste, et des mosaïques que nous pouvons admirer à Naples, à San Prisco, à Rome, à Cefalù, à Palerme ou à Monreale.

Il est possible que, de la même manière, dans des milliers d'années, il faille aller rechercher l'art du monde occidental dans la Grande Europe des Amériques, plutôt que dans l'Europe asiatisée des siècles à venir.

SICILE. MAI-JUIN 1953.

Eglise des Frères Mineurs, Palazzolo Acreide.

Messine, 19 mai 1953.

Je n'étais pas descendu en train au sud de Naples depuis 1889. Je n'avais pas vu les maisons bombardées des deux côtés de la voie à la sortie de la ville. L'homme a fait en une minute ce qui a pris à la nature bien plus de temps, malgré toute sa violence, à Pompéï et Herculanum. Paysage – surtout entre Agripoli et Sapri – toujours plus luxuriant, plus semi-tropical : vaut la côte almafitaine. Promontoires, falaises, hauteurs surmontées de tours, ravins, horizons marins. Pas de belles plages. Simples bandes de gris ferrugineux entre terre et mer. Oliveraies à l'infini, quantité de genêts.

Presque pas d'étrangers. Ai entendu la voix nasale d'un couple d'Américains, et vu un Français assez âgé au visage distingué. La plupart des compartiments sont occupés par des Italiens, apparemment plus prompts à voyager que jamais dans mes soixante années de résidence dans le pays – et ils le font en tout confort ! A Villa San Giovanni, convoi interminable de la Croix Rouge plein de pèlerins pour Lourdes. Quel message d'espoir !

Alors que le bac, joyeux et bondé, s'approchait de Messine, j'ai été la proie d'une maladie peut-être réservée à moi seul, que j'ai isolée et nommée. Je l'appelle la "Xénodochiophobie". Je suis parcouru de sueurs à l'idée de ce que je vais trouver dans l'hôtel où je me rends. Je sais que je vais être au plus mal si ma chambre n'a pas une forme qui me convient, si elle est trop haute ou trop basse de plafond, ou si elle est trop étroite, si les meubles n'ont pas la taille qu'il faut, s'il y a de la saleté, de la crasse, si les papiers-peints sont déchirés, s'il n'y a pas de veilleuse sur la table de chevet ni de corbeille à papiers. Combien de fois, après une longue journée de route et de visites en Espagne, en Grèce, en Syrie ou en Algérie n'aurais-je pas préféré continuer, malgré la fatigue, tant j'appréhendais ce qui m'attendais ! Mes craintes à l'égard de l'hôtel de Messine étaient fondées. Magnifique entrée avec double escalier menant aux chambres dont je ne dirai rien, sauf que leur prix est proportionné à la splendeur du grand escalier mais pas à leur confort. Pour compenser (comme partout en Sicile), personnel accueillant et serviable, bonne nourriture, servie prestement.

Messine, 20 mai 1953.
La ville est aujourd'hui aussi importante et animée que la majorité des capitales provinciales d'Italie ; larges avenues et bâtiments inspirés des Expositions Internationales. Les vues sur la mer, la brise marine lui confèrent une certaine gaieté. Cependant, je me rappelle avec quelque nostalgie la Messine que j'ai connue en 1888, avec son front de mer à la noble architecture, qu'on appelait la "Palazzata", et les rues parallèles, bordées de palais, petits ou grands, dont chaque fenêtre était ornée d'un balcon entouré d'une rembarde de fer forgé doré. Le pavé était incliné vers le centre de la rue afin de faciliter l'écoulement des eaux. Il reste peu de traces de tout cela : la petite et précieuse église des Catalans, la grande fontaine de Montorsoli, peut-être la plus exceptionnelle de son genre en Italie, et certaines parties de la cathédrale — le reste ayant subi une restauration lourde et pompeuse.

C'est curieux, mais je ne connais aucune monographie qui reproduise la fontaine de Montorsoli dans tous ses détails et en retrace adéquatement l'histoire. Elle représente un répertoire de motifs michelangelesques dont il n'existe l'équivalent nulle part, sauf chez le grand maître lui-même. Hormis son importance pour l'histoire de l'art italien,

Front de mer de Messine avant 1908.

Détroit de Messine.

c'est un ouvrage d'un mérite considérable, autant dans l'ensemble, du point de vue de la conception et de la composition, que dans le détail, agréable et, par moments, exquis.

Dans la partie septentrionale de la ville, près de la mer, on est en train de réinstaller le Musée National dans un ancien monastère, agrémenté de cloîtres et de terrains attenants, parfaitement adapté à l'exposition d'un bon nombre de sculptures et de fragments d'architecture de la basse Antiquité, du Moyen-Age, de la Renaissance et de l'âge baroque, de même que des mosaïques et des tableaux. Parmi ces derniers, deux célèbres Caravage et plusieurs œuvres de ses disciples. Tout cela provient pour la plupart d'églises et de couvents détruits par le tremblement de terre.

Messine, 21 mai 1953.

Ai demandé un journal du matin : celui qu'on m'a apporté était tellement anti-De Gasperi et anti-américain que j'ai cru que c'était un journal pro-soviétique. Le chasseur m'a assuré que c'était le bulletin monarchiste local. Il est ensuite allé me chercher le *Giornale di Sicilia,* censé être *independente.* Mais ce n'était guère mieux. Que veulent-ils ? Préfèrent-ils vraiment des fascistes, des communistes, des monarchistes, n'importe qui voudra bien faire tomber le présent gouvernement ? Des amis ici se plaignent des erreurs commises par De Gasperi. Il y a du vrai, mais gouverner est quelque chose d'empirique – sans cesse on prend des faux départs, l'on se retrouve dans une impasse –, gouverner, dans un régime parlementaire, est trop compliqué pour être le lot de simples humains, quelles que soient leurs capacités. Et personne n'est plus capable que De Gasperi. L'énorme majorité des Italiens montrent bien trop de passion quand ils parlent ou écrivent, et ils perdent totalement la tête lorsqu'ils abordent la politique : ils n'en parlent pas comme d'une économie domestique rationnelle, mais comme d'une théologie.

Raison principale pour rester trois jours ici est l'exposition de tableaux d'Antonello da Messina, l'unique peintre sicilien à jouir d'une réputation mondiale, et d'ailleurs le seul de toute l'Italie méridionale du XVe siècle. L'exposition est loin de rassembler toutes ses œuvres ; il n'y en a aucune de Londres, de Paris ni de Washington et, bien sûr, il n'y a pas son chef-d'œuvre, le sublime "Saint Sébastien" de la Gemäldega-

Fontaine d'Orion par Montorsoli (1550), Messine.

lerie de Dresde, qui n'a disparu, espérons-le, que·temporairement. Apparemment les autorités soviétiques ont déclacré ignorer où il se trouvait, mais ce n'est peut-être que pour des raisons diplomatiques[4].

Outre un nombre de portraits plus que suffisant pour donner une idée du talent de portraitiste d'Antonello, l'exposition inclut l'"Annonciation" qu'Enrico Mauceri[5] a découvert à Palazzolo Acreide et la sublime "Pietà" du Musée Correr à Venise. Egalement deux "Crucifixions", la plus ancienne provenant de ce qui était autrefois Hermannstadt en Transylvanie et une autre, d'Anvers, datant de la maturité de l'artiste. Dans les paysages de ces deux "Crucifixions" et de l'"Annonciation", le sentiment de la distance (pour ainsi dire) vécue, marchée, est rendu comme il l'est rarement, voire jamais, par les Florentins du XVe siècle, malgré toute la passion qu'ils mettaient à l'étude de la perspective. Même chez les meilleurs d'entre eux, Piero della Francesca, Baldovinetti ou Polaiuolo, on ne s'élève guère au-dessus de la simple topographie.

Je ne parviens pas à comprendre comment nous tous, critiques d'art, avons été incapables de reconnaître l'esprit et la main d'Antonello dans la "Piétà" du Correr. Peut-être parce qu'elle est tellement bellinienne. Néanmoins, ce qui reste de paysage et d'architecture, de même qu'une certaine qualité des têtes d'anges et du dessin byzantin de leurs ailes, auraient dû nous suggérer l'attribution correcte. Tous les honneurs, donc, au regretté Roger Fry qui l'indiqua le premier.

La carrière d'Antonello est des plus mystérieuses. Ses débuts, comme l'exposition le montre, ne sont pas vraiment prometteurs. La conviction que j'ai eue pendant de nombreuses années, à savoir qu'il avait dû subir durant sa jeunesse l'influence de Petrus Christus, est à présent confirmée, me dit le professeur Bottari, de Catane, par un document, découvert dans les archives de Milan, établissant que Petrus et Antonello se sont rencontrés à Milan et y ont travaillé ensemble. En 1474 ou 1475, Antonello se rendit à Venise où son retable pour San Cassiano fit autant événement que n'importe quel Cézanne à Paris de notre temps. Sans doute en raison de sa technique car, du point de vue de la composition, il est tout à fait conventionnel et bellinien ; quant à l'expression, elle est réservée, fade même. Il finit par devenir presque complètement vénitien, ainsi que le prouvent la "Pietà", le "Saint Sébastien" et les portraits exécutés dans les trois dernières années de sa vie. On se demande comment il aurait évolué s'il n'avait pas été fauché par la mort, à l'âge de quarante ans, en février 1479.

Pietà d'Antonio da Messina,
Musée Correr, Venise.

Crucifixion d'Antonio da Messina,
Musée d'Art d'Anvers.

Messine, 22 mai 1953.

J'ai souvent visité la Sicile, dont une fois en mai 1908. Nous étions montés en automobile jusqu'aux hauteurs boisées qui surplombent la ville, où nous sommes retournés hier en suivant la route de Palerme, qui grimpe lestement, à travers de magnifiques massifs de géraniums écarlates, dans ce qui ressemble à un parc privé, d'une grande noblesse, et qui offre les vues les plus poétiques sur la mer, le ciel et les caps. En décembre de cette même année (1908), j'étais à Washington lorsqu'un matin le journal apporté avec mon petit déjeuner m'apprit le terrible désastre qui avait frappé Messine la veille. J'étais horrifié et accablé devant le nombre de victimes et de bâtiments détruits, mais j'étais aussi très anxieux du sort d'un ami dont je savais qu'il résidait là-bas à l'époque. Il fut miraculeusement sauvé, mais on ne retrouva jamais sa femme ni ses quatre enfants.

Taormine, 23 mai 1953.

Quand je suis venu à Taormine pour la première fois, la seule auberge était une petite maison rose sous le théâtre grec. Rien à voir avec les vastes caravansérails, les hôtels et les pensions dont regorge aujourd'hui la petite ville ! Petite, mais au rôle important dans l'histoire de la Sicile antique. A l'instar de toutes les autres villes de l'époque, toujours en guerre, fût-ce avec le village voisin de Mola, haut perché sur un pic au-dessus d'elle. La perle de sa couronne est la vue dont on jouit depuis le théâtre (dit) grec. La chose curieuse est que, lorsque le théâtre était, comme disent les Américains, "a going concern" – quand il servait – les spectateurs ne pouvaient pas voir ce que nous voyons aujourd'hui puisqu'il était muni, comme tout théâtre grec ou romain, d'une construction scénique permanente qui bloquait la vue. On a reconstruit une telle installation à Sabratha, et à Aspendus, en Asie Mineure, on en voit une qui est demeurée complète : toutes deux nous montrent la hauteur que de telles constructions pouvaient atteindre. Je ne me souviens pas si c'est Thucydide qui dit que le théâtre de Syracuse était plein de spectateurs qui regardaient avec anxiété l'évolution de la bataille engagée dans le port contre les Athéniens, ou si c'est une invention d'historiens plus récents. Si c'est Thucydide, le théâtre de Syracuse était donc différent de la majorité, sinon de la totalité des théâtres de ce type. Je pense que les Grecs et leurs élèves dociles, les

Romains, n'appréciaient pas particulièrement les paysages : ils devaient aimer la nature pour la fraîcheur du matin ou du soir, et pour le calme délicieux d'un bois solitaire.

Taormine, 24 mai 1953.

Réveillé ce matin à cinq heures moins le quart, sorti sur le balcon pour voir l'aube se lever sur l'Etna. Autour d'une légère lueur venue de l'intérieur, celui-ci était mauve et argenté. Un diadème de neige et, au-dessous, un collier de nuages. Hauteur de la montagne réduite par la douceur des pentes. La mer, un miroir reflétant et intensifiant à la fois les teintes du ciel ; le ciel lui-même rougissant tandis que le soleil, encore invisible, faisait sentir sa présence plus bas. Un calme sans bruit si ce n'était celui, étouffé, d'une grande étendue de mer dont la frange venait déferler sur le rivage. Le Wordsworth du sonnet dans lequel il décrit un lever de soleil sur Westminster Bridge aurait peut-être su communiquer à d'autres tout ce que cette scène signifiait pour moi, le pur bonheur visuel, la sublimité, l'harmonie, la solennité du silence que je goûtais – si égoïstement.

Comme je l'ai dit, la douceur des pentes de l'Etna empêche qu'on s'aperçoive de sa hauteur réelle. Mais j'en eus une idée, un matin, dans les circonstances suivantes. Début décembre 1888, je m'embarquai au Pirée sur un vapeur à destination de Messine. La mer déchaînée, ne se calma que lorsque nous approchâmes des côtes de Sicile. Je levai les yeux vers le firmament cristallin et je vis une courbe blanche qui le suivait, me semblait-il, presque jusqu'au zénith. Je demandai ce que cela pouvait bien être. Et l'on me répondit que "le dos de l'Etna suivait la courbe du ciel." Etait-ce une illusion, était-ce réel ? Jamais je n'ai oublié cette extraordinaire apparition.

Taormine, 25 mai 1953.

Qu'est-ce qui nous pousse à quitter cet endroit si beau, si agréable, si reposant ? Il n'y a rien que je puisse faire ici, maintenant que je ne puis marcher qu'à petits pas sur mes jambes de plomb, et que je ne peux plus faire de longues promenades. Si je prolongeais mon séjour, après quelques temps d'un ennui pas si désagréable, je retrouverais peut-être une certaine créativité, ce qui me procurerait une satisfaction plus grande que de voyager d'un inconfort à l'autre, pour revoir ce que mon souvenir a magnifié depuis les visites que j'y ai faites durant ma jeunesse, et que je retrouve souvent défiguré par toutes sortes d'ajouts et de vulgarités. Ne s'agit-il que d'un simple *Wanderlust*? Je crains que oui, pour la plus grande part. Mais pourquoi nous soumettons-nous à ce désir universel de changer de lieu? Pourquoi le touriste roule-t-il sa bosse d'un bout à l'autre du monde à une telle vitesse? Puisqu'il ne se fixe nulle part, il n'a souvenir de rien sinon du fait qu'il a visité tel endroit et que cet endroit est toujours sur la carte. N'y a-t-il pas un Allemand qui aurait écrit sur le *Reiselust*?

Taormine, 26 mai 1953.

Encore réveillé à quatre heures et demie. Suis ressorti sur le balcon pour boire des yeux, pour admirer le spectacle de l'aube qui monte jusqu'au dessus du théâtre grec et éclaire lentement le ciel, la mer et l'étendue de terre jusqu'à l'Etna couronné de neige. Je regardais les pâtés de maisons enclos dans l'hémicycle des collines, et Taormine m'a rappelé quelque chose. Il m'a fallu un effort pour m'en souvenir, puis j'ai découvert que c'était le Mantegna de "l'Agonie au Jardin des Oliviers", à la National Gallery, ou de la "Sacra Conversazione" du Musée Gardner. J'ai ensuite retrouvé dans ma mémoire que j'étais parvenu à la même conclusion il y a vingt-cinq ans ou plus, quand j'étais ici la dernière fois. J'ai éprouvé le sentiment très déplaisant d'être aphasique, de souffrir d'une sorte de constipation mentale, parce que je me révélais incapable de traduire en mots les impressions que je ressentais, en observant d'abord la lumière du soleil, puis le soleil lui-même, illuminer de sombres profondeurs avant de grimper le long des pentes de l'Etna.

Enna, 27 mai 1953.

Bien que nous ne nous soyons pas arrêtés à Catane cette fois, son nom évoque un petit détail étymologique amusant, qui pourrait servir d'avertissement aux philosophes trop enclins à trouver des raisons dites "scientifiques" à l'origine des noms. Au début du siècle

Théâtre grec de Taormine.

dernier, quand on ne cultivait pas encore les citrons aux Etats-Unis, des navires à voiles américains venaient en charger des cargaisons en Sicile, surtout à Catane. Les garçonnets, bien sûr, assaillaient ces géants à barbe rousse qui venaient de si loin, et lorsqu'ils devenaient trop importuns, les Américains leur criaient "Skedaddle" – ce qui, dans la langue de l'époque, voulait dire "Foutez-moi le camp". Les gens du peuple à Catane en vinrent à appeler les Américains *"Gli Schidado"*, tout comme les Français du temps de Jeanne d'Arc appelaient les Anglais *"les Godam"*, et les paysans toscans de 1944 appelaient les soldats américains *"Gli Ochei"*.

L'emphatique Verga et le sobre De Roberto étaient tous deux originaires de Catane, ou du moins le second y a-t-il vécu toute sa vie, même s'il venait d'ailleurs. Verga décrit constamment les paysans et les petites gens, mais il les héroïse. De Roberto traite de l'aristocratie et la pragmatise. La réputation de Verga est intacte et on le lit encore, j'espère, en dehors des anthologies, tandis que De Roberto semble presque entièrement oublié. L'un des grands écrivains américains, la regrettée Edith Wharton, avait la plus grande admiration pour lui, et c'est elle qui m'a fait lire son chef-d'œuvre, *I Vicerè*.

La dernière fois que nous étions à Catane, il y a vingt-sept ans, Enzo Maganuco nous amena au musée situé dans le couvent bénédictin, juste à l'extérieur de la ville. Il contenait de nombreux objets pleins d'intérêt pour un amateur d'art omnivore comme moi. Particulièrement, un grand vase antique qui m'intriguait : je demandai au jeune directeur, qui était très charmant, ce que c'était. Il l'observa longtemps avant de répondre : "E un vaso." J'appris qu'il avait été nommé récemment, pour service journalistique rendu au régime, et pas le moins du monde pour un quelconque "mérite" en rapport avec son office.

Pour venir ici, nous avons emprunté une route qui contourne l'Etna, passe à Linguaglossa, Randazzo et Bronte avant de rejoindre l'axe Catane-Palerme à Adrano. Nous avons traversé d'innombrables coulées épaisses de lave durcie qui descendaient de l'Etna en se tortillant comme des serpents : les plus récentes d'une noirceur sinistre, les plus anciennes déjà couvertes de genêt, la fleur choisie par Léopardi pour symboliser les conditions précaires de l'existence humaine. Presque tous les villages que nous avons traversés, tout particulièrement Regalbuto et Agira, ressemblent, de loin, à des gaufres de miel pyramidales ou coniques ; et quand on s'en rapproche, les maisons paraissent empilées les unes sur les autres comme des dés. Leurs facettes rassemblées auraient réjoui l'œil d'un Cézanne, bien plus que tout ce qu'il pouvait trouver chez lui en Provence, sauf peut-être les Baux.

Pénétrer dans ces villages et les traverser en voiture n'est pas aisé, surtout en fin d'après-midi, quand l'entière population mâle semble sortie dans les rues : ça gesticule, ça parle, ça discute, ça se dispute, sans doute à propos des élections prochaines.

Nous continuons ainsi jusqu'à Enna, la ville la plus majestueuse entre toutes, dont la situation surpasse celle d'Edimbourg, de Tolède, de Sienne, de Pérouse et de toutes les villes à flanc de colline que je connaisse en Europe ou dans le bassin méditerranéen. Quel endroit pour passer des jours, des semaines, si seulement il y avait une auberge propre et confortable, tenue par des gens qui connaîtraient leur métier et comprendraient qu'il est dans leur intérêt et celui de leur ville d'attirer les étrangers !

Quoi qu'il en soit, l'hôtel ne pourrait être mieux situé. Des fenêtres et de la terrasse, on découvre le profil hardi du Castello Lombardo devant une proéminence rocheuse en forme de sphinx, puis toute la chaîne de montagnes jusqu'à l'Etna, que j'ai vu ce matin à l'aube dans la clarté d'un bleu cristallin. La nuit, les villes éclairées à l'électricité, Calascibetta, juste en face de nous, et les autres plus loin, scintillent comme des feux d'artifice spécialement préparés pour notre plaisir. En 1908, je vins ici dans une voiture ouverte, avec ma femme et mes chers amis Carlo Placci et son neveu Lucien Henraux. A cette époque l'hôtel était tout à fait convenable, quoique d'un confort rudimentaire. Nous avions cependant eu le souffle coupé par la note, les tarifs étant sensiblement les mêmes que ceux des meilleurs hôtels de Palerme ou de Taormine. L'hôtelier ne fut pas démonté par nos protestations : "Vous avez très bien dormi, très bien mangé ; comment voulez-vous avoir tout ça ici sans payer le prix qui me permet de tenir auberge pour des voyageurs comme vous ?"

Enna, 28 mai 1953.
Pas de restaurant dans l'hôtel mais il y en a un en ville, bien tenu, où l'employé, très serviable, est allé chercher nos dîners hier et avant-hier. Nous y sommes allés déjeuner et, après deux repas excellents, nous avons été traités en habitués ; nous avons quitté le propriétaire en vieux amis.

Ici, comme partout en Sicile, pain et *pasta* sont d'une qualité exceptionnelle, dignes du règne de Déméter. Peut-être la meilleure qualité de farine n'est-elle plus exportée comme c'était le cas jadis.

Je devrais être heureux de ce qu'il existe au moins un hôtel dans la ville, quel qu'il soit, car en y séjournant seulement deux nuits, j'ai pu faire l'excursion aux fouilles de Casale, près de Piazza Armerina, sans trop de fatigue. Quel paysage nous avons traversé en automobile! Des vallées et des coteaux recouverts de blés dorés, des routes ombragées, des frênes, des eucalyptus, et la silhouette de l'Etna dominant toute hauteur cinquante kilomètres à la ronde. En approchant de Piazza Armerina, nous avons rencontré de plus en plus de bétail et de gens montés sur des chevaux, ou plutôt sur des juments, avec le poulain qui trottait à côté. Dans la ville nous avons dû nous frayer un chemin à travers le bétail, les chevaux, les cochons, les poteries et tous les articles vendus sur le marché. Harnachement des chevaux et charettes peintes, des plus pittoresques : pour plus d'unité, les cavaliers auraient dû porter, comme les indigènes de l'Arizona ou du Nouveau Mexique, des ponchos et des jambières de cuir. Sur la route de Casale, nous avons suivi un panneau indiquant *"Mosaici"*, et sommes arrivés à un guichet où l'on paye pour entrer dans le périmètre des fouilles. Après de fortes pluies, le sentier qui y menait était si boueux que nous avons dû emprunter des bottes de caoutchouc aux *custodi* avant de nous y aventurer.

Le site de la *villa* nous est vite apparu, délimité par les vestiges épars de murs et de colonnes qui suggéraient l'importance des bâtiments autrefois. Des abris ont été dressés récemment afin de protéger les mosaïques. Nous avons reconnu en Cavaliere Veneziani, le responsable des fouilles, un vieil ami que nous avions rencontré il y a dix-huit ans, quand il était le bras droit de Giacomo Guidi à Sabratha. En nous montrant les plus intéressants des pavements de mosaïques semi-polychromes, il nous a expliqué sans pédanterie ce qu'ils étaient censés représenter et nous a donné leur date approximative.[6] Il ne fait aucun doute que la villa appartenait à un personnage important. Cavaliere Veneziani pensait que ç'avait pu être un personnage aussi important que Maximien, le père de Maxence qui, devenu le rival de Constantin, fut tué à la bataille capitale de Ponte Molle. Dans la grande scène de chasse, le personnage principal, propriétaire probable de la villa, est certainement un portrait; or, son costume et sa calotte sont du genre porté au début du IVe siècle. Ses traits n'excluent pas – si l'on tient

Centuripe.

Page 74, La Rocca di Mola, Taormine.

compte des différences de technique et de qualité – la possibilité qu'ils soient ceux du visage vu de face sur les pièces d'or de Maxence. Dans la vaste composition représentant une chasse, la plus importante de toutes, nous voyons des cavaliers qui vont et viennent à grande vitesse, des rabatteurs, des chars à bœufs transportant des cages pour les animaux sauvages, quantité de tigres, de lions, de gnous, d'hippopotames et de gazelles. Les animaux sont dépeints d'une façon très vivante, les humains beaucoup moins. Ceux-ci portent des tuniques serrées descendant jusqu'au-dessus du genou, qui anticipent le costume des gens du peuple au milieu du Moyen-Age. Certains portent des capes ornées de galons brodés. Au centre de la composition, sur une rivière ou un lac, attendent des barques et des bateaux à voiles reliés à la terre ferme par des passerelles de bois, dont l'une est empruntée par un cavalier poursuivi par un tigre.

Les scènes de chasse de ce genre étaient très prisées à une époque où l'on avait l'habitude de cruels spectacles de gladiateurs dans les cirques, et de la violence en général dans l'existence. Les églises elles-mêmes étaient parfois décorées avec de telles scènes, surtout dans les pourtours de l'*oecumene*. Ces décorations vivantes et divertissantes permettaient d'éviter une imagerie purement païenne ou les complications d'un symbolisme chrétien controversé. Il me semble me souvenir de scènes de chasse dans l'église d'Ermita de San Baudelio, près de Soria dans la Vieille-Castille, qui date des premiers temps du christianisme.

Le personnage principal, dont on a déjà dit que ce pouvait être un portrait de Maxence, se tient entre deux écuyers ; il est vêtu d'une cape finement brodée tombant jusqu'aux chevilles. Après le triomphe du christianisme, l'Eglise emprunta cette mode des capes brodées et, petit à petit, les motifs floraux et géométriques se transformèrent en représentations de passages de l'Evangile. Cela donna lieu à de telles exagérations que des écrivains, une génération ou deux plus tard, disaient que les gens portaient sur leur dos tout le Nouveau Testament. Sous une forme assagie, ces capes devaient devenir les chapes – *piviale* – du haut clergé, qui se portent depuis des siècles et sont encore utilisées lors des cérémonies importantes et des processions. Les chapes les plus célèbres sont celles qui sont entièrement brodées, ainsi celle qui fut exécutée à Palerme pour l'empereur Frédéric II, et les chapes anglaises du Moyen-Age, dont on peut voir deux beaux spécimens en Italie, l'une au Vatican, l'autre au petit Musée diocésain de

Ambulacro della Caccia (mosaïque),
Piazza Armerina de Casal.

Les gymnastes,
Villa romaine de Casal.

Pienza, près de Sienne. A la Renaissance, les meilleurs peintres du temps exécutaient souvent les cartons – représentant des épisodes de l'Evangile ou de la Vie des Saints – destinés à être reproduits en broderie sur les bordures et au dos (où une espèce de rabat en forme de bouclier remplace le capuchon d'origine). Ces chapes sont représentées dans des tableaux, comme dans le "Couronnement de la Vierge" de Fra Angelico, au Louvre, ou dans le grand retable de Signorelli à la cathédrale de Pérouse.

Une autre mosaïque, semi-circulaire, a pour sujet la colère des Titans : la figure centrale évoque la partie supérieure du "Jugement dernier" de Michel-Ange. La composition remonte probablement à un artiste hellène et il est possible qu'elle ait eu une connotation astrologique. A nouveau, dans une lunette, est assise une figure allégorique tenant une corne d'abondance dans une main, et une défense d'éléphant dans l'autre ; elle est entourée d'éléphants et de tigres. Elle me rappelle les divinités citadines fréquentes à la période hellénistique, telle la Rome colossale, du IIIᵉ ou du IVᵉ siècle, conservée au Musée des Thermes.

Dans plusieurs mosaïques, des angelots ailés grimpent sur des treillis pour cueillir des raisins : cela rappelle des compositions raphaëlesques, tels les plafonds du portique de la Villa du Pape Jules II. Surprenantes, dix femmes athlètes dans diverses attitudes, des emblèmes floraux à la main. Elles n'ont rien mis qu'un *soutien-gorge* et un *cache-sexe**, tenue réinventée pour les jeunes femmes des dernières années, qui passent l'été à se faire rôtir au soleil des plages de Cannes – et d'autres stations balnéaires de la Côte d'Azur.

Pour intéressantes qu'elles soient d'un point de vue archéologique et historique, ces mosaïques ne peuvent guère rivaliser, quant au trait, avec le chef-d'œuvre des mosaïques semi-polychromes qui nous sont parvenues, la "Bataille d'Alexandre contre Darius", actuellement au Musée de Naples, et qui leur est antérieur de trois siècles ; elles n'ont pas non plus la beauté d'exécution des compositions en mosaïque noire et blanche que l'on trouve à profusion en Italie centrale. Elles ressemblent surtout aux mosaïques que l'on voit partout en Afrique du Nord. A mon avis, elles seraient d'origine carthaginoise ; il est possible que les ouvriers soient venus de Carthage. Peut-être s'inspirent-elles d'inventions d'artistes alexandrins, mais pas aussi directement que la grande mosaïque de Palestrina, avec ses lotus, ses papyrus et ses crocodiles.

---

*En français dans le texte.

Malgré la qualité médiocre de l'exécution, les mosaïques de Casale offrent un grand intérêt historique et artistique, et il reste à souhaiter que l'on termine les fouilles sans trop de délais.

En se retournant vers la vallée encaissée, face au soleil, on s'aperçoit que la villa devait offrir une protection parfaite durant la saison hivernale. Même après qu'elle eut subi beaucoup de dégâts, beaucoup plus tard, elle continua d'abriter quelques habitants — ou locataires -- jusqu'à la période normande, comme l'indiquent des pièces de monnaie qu'on y a trouvées. On détruisit probablement la forêt, qui empêchait l'érosion au nord, et les inondations et les glissements de terrain durent recouvrir l'endroit, incapable désormais d'offrir la moindre protection aux occupants qui auraient pu le restaurer.

Il est temps de retourner à nos quartiers de nuit, à Enna. Sur le chemin du retour, dans la lumière du crépuscule, je suis hanté par la vision nostalgique d'un grand nombre de manoirs et de villas élégantes qui ont dû exister, ici et ailleurs, dans le monde classique, des Iles britanniques au désert du Sahara, et dont il ne reste aucune trace.

Syracuse, 29 mai 1953.
En redescendant d'Enna, nous avons retraversé la foire pittoresque de Piazza Armerina et passé au pied de chaque bourg, chacun grimpant de la vallée jusqu'au haut de la colline, et couronné par la façade et la tour de sa cathédrale. Palazzolo Acreide, d'où provient l'"Annonciation" d'Antonello, est le plus altier d'entre tous par sa position, et le plus élégant par la richesse de ses rues et de ses bâtiments baroques. Tout au sommet du bourg, dans l'église d'un couvent à la façade rococo délicieusement capricieuse, se trouve une noble statue de la Vierge, par Franscesco Laurana, l'artiste mystérieux, souvent confondu avec le Laurana dalmate, et qui est supposé avoir été architecte à Urbin. Il est difficile de se faire une idée de lui, les sculptures qui lui sont attribuées différant beaucoup, autant par la qualité que par le style. Il semble avoir travaillé surtout en Provence et dans l'Italie du sud, produisant des portraits de femmes parmi les plus fascinants de la Renaissance, surpassés seulement par Desiderio. Pourtant, dans certaines des compositions qui lui sont attribuées, à Carcassonne, à Marseille et dans des églises siciliennes, il fait piètre figure. De toutes les statues de la Vierge qui lui sont attribuées en Sicile, quelques-

unes sont manifestement de lui, alors que la majorité paraît être l'œuvre des Gaggini, qui subirent sans aucun doute son influence. Il mérite d'être étudié davantage qu'il ne l'a été jusqu'à présent.

Que Syracuse a changé depuis 1888! A l'époque, la ville se réduisait à Ortygie et, du côté du continent, pour ainsi dire, il n'y avait que la gare du chemin de fer. Des fiacres démantibulés vous conduisaient à la vieille ville par un pont crénelé aux armes de Charles V. A présent, une cité moderne s'est développée des deux côtés de l'étroite rivière, enjambée par un pont si large qu'on dirait une rue. On ne ressent plus le même sentiment d'insularité, ni l'impression de plénitude compacte qui l'accompagnait.

Le front de mer est inchangé; c'est là que se trouvent l'hôtel où nous sommes si souvent descendus, et qui nous donne toujours autant satisfaction, et les charmantes terrasses qui montent vers la fontaine d'Aréthuse parsemée de papyrus (et à présent éclairée au néon la nuit), l'Aréthuse des vers si beaux de Shelley: "Aréthuse se dressait – de sa couche blanche – Dans les monts Acrocérauniens." Rien de plus classique que la vue, par-delà le grand port, de Plemmyrion et des Monts Ibléi, et pourtant le maître d'hôtel nous assure que quiconque est allé à Lucerne ne peut manquer d'observer combien la vue ici ressemble à celle qu'on a là-bas sur le lac.

Syracuse, 30 mai 1953.
Un vent violent du sud-ouest nous a empêché de revisiter les sites classiques, le théâtre, le fort d'Euryale, l'Achradine, les Epipoles, et la Fontaine de Cyané, avec ses papyrus qui ploient sous la brise et ses profondeurs transparentes et multicolores. J'ai dû m'en tenir aux deux musées et au Duomo, l'ancien Temple d'Athéna, qu'un évêque, au VIIe siècle, a doté d'un toit et de murs. Les colonnes doriques merveilleusement préservées nous donnent une idée de l'espace qu'occupaient ces temples, et sur lequel ne nous renseignent pas les ruines fragmentaires de plein air. Le musée médiéval, situé dans un intéressant palais aragonais, renferme une multitude de fragments byzantins, dont des colonnettes qui pourraient provenir de l'île de Proconèse, sur la Mer de Marmara, d'où elles étaient exportées vers toutes les contrées

Fontaine d'Aréthuse, Syracuse.

du bassin méditerranéen, au moins aussi loin que l'Andalousie, où on en trouve en grande quantité dans le palais du Calife à San Jeronimo près de Cordoue. Le musée classique est surtout célèbre pour sa Vénus nue, pratiquement jumelle de celle de Cyrène dans le Musée des Thermes ; toutes les deux me laissent aussi froid l'une que l'autre. Un grand sarcophage des premiers temps du christianisme est exceptionnel par sa qualité, non seulement dans son traitement des sujets tirés de l'Evangile mais aussi dans la sculpture. Multitudes de salles remplies de vases attiques, dont plusieurs d'une grande beauté, mais lassants parce qu'il y en a trop et qu'on ne peut pas les toucher. Le musée renferme aussi une collection célèbre dans le monde entier : celle de pièces de monnaie de l'Antiquité, dont Syracuse s'était fait une spécialité. Mais seuls quelques privilégiés peuvent espérer y avoir accès : des archéologues réputés, pas de simples amateurs d'art comme moi.

Syracuse, 31 mai 1953.
        Le maître d'hôtel évoque avec regret l'époque où les voyageurs revêtaient une tenue de soirée pour dîner et prenaient le temps d'apprécier l'endroit. De nos jours la plupart débarquent d'énormes autocars et "font" la Sicile en six jours. "Que voient-ils ?" demande le vieux maître d'hôtel. "Ils s'assurent que la ville dont ils ont entendu parler est toujours là". Voyager, changer de lieu semble un besoin physique, peut-être déjà sensible chez beaucoup d'animaux. Quant à l'humanité, elle paraît s'être toujours beaucoup déplacée, ne serait-ce que pour partir en pèlerinage ou en croisade. Je me souviens combien je mourais d'envie, quand j'avais six, tout au plus sept ans, d'aller voir ce qu'il y avait au-delà de l'horizon. Bouger, aller dans une autre ville, dans un autre village même, me faisait bouillir d'excitation. Et maintenant que j'ai presque quatre-vingt huit ans, pourquoi suis-je ici, bravant fatigue, inconfort, voire ennui, si ce n'est à cause du désir animal d'aller en pèlerinage ?
        Parmi les choses que je n'ai pu faire ici en raison du vent qui fait rage, je n'ai pu rendre mes hommages au Palazzo Landolino qui, j'espère, existe toujours, sur la "grande terre" : un poète allemand, le comte von Platen, malheureuse victime de l'esprit caustique de Heine, y a

Ancien Temple d'Athéna, Syracuse.

vécu, y est mort en 1835, et y repose dans le jardin de son hôte. Il a écrit des sonnets très remarquables, des vers à la mode arabe, et l'une des ballades les plus nostalgiques jamais composées, à propos des funérailles d'Alaric sur le Busento, à Cosenza.

La Sicile fascinait les Allemands avant la période romantique, avant le culte de Frédéric et de Manfred, ou la grande époque des Hohenstaufen en Sicile et en Italie du sud. Il y avait bien sûr le patricien Goethe, et un auteur bien moins connu, sympathisant de la Révolution française originaire du Hesse, Seume, dont le *Spaziergang nach Syrakus* mérite d'être traduit. Il est curieux de voir que ces écrivains allemands tentaient déjà de nous dire ce qu'ils ressentaient, alors que Brydone, le gentilhomme anglais du XVIIIᵉ siècle, dans son *Tour through Sicily and Malta*, nous raconte seulement ce qu'il fait et ce qu'on lui fait.

Vittoria, 1ᵉʳ juin 1953.

En venant de Syracuse, nous avons traversé Noto, un bourg saisissant, avec de larges artères, des palais et des églises fastueux et des balcons de fer forgé. C'est, comme me l'a dit le professeur Bottari, l'architecte de Syracuse Rosario Gagliardi qui en a dressé les plans après le tremblement de terre de 1693. Nous nous sommes arrêtés pour y voir la plus inspirée de toutes les Vierges de Laurana, dans l'Eglise de la Crucifixion.

A Modica et à Ragusa, il faut passer au-dessus de ravins profonds avant d'escalader les hauteurs couronnées, dans chacune des deux villes, par une cathédrale ; les deux cathédrales sont particulières parce que, à l'instar des églises du début de l'époque romane en Allemagne, leur façade s'élève comme une tour. Toutes deux ont, semble-t-il, été construites par le même Gagliardi, ainsi que d'autres églises du même type dans la région. Au lieu de faire montre d'une sévérité rébarbative, elles nous accueillent avec une gaieté rococo. J'avais déjà visité Modica en 1908, en compagnie de Placci et de Henraux. Carlo di Rudini avait prévenu ses adhérents et nous avions été reçus avec la plus grande cordialité. Pendant l'attente qui précéda le repas très copieux, ils nous firent goûter leurs meilleurs vins. Etait-ce la fumée, le bruit de la vaisselle, le volume des voix, ou le vin très fort, quoiqu'il en soit, je finis par m'évanouir et l'on m'allongea sur un lit. Lorsque je revins à moi quelques minutes plus tard, tout était silence

Cathédrale de Saint-Georges,
Ragusa.

autour de moi. Pas un bruit, pas une voix. Je me suis souvent rappelé cette preuve d'humanité, de sympathie, qu'on ne retrouve pas, autant que j'en puisse juger par mon expérience, en dehors de l'Italie. Personne n'est plus prompt que l'Italien à aider une personne qui en a réellement besoin, du moment qu'il comprend ce besoin et qu'il compatit.

Nous avons eu l'heureuse surprise de nous retrouver dans une auberge qui ne payait pas de mine mais qui procure tous les conforts au voyageur épuisé. Il n'est pas facile de l'atteindre à travers la foule compacte de mâles de tous âges – pas une femme en vue – qui envahit la grand-rue et la place. L'auberge aussi semblait grouiller de clients du sexe masculin, et l'aubergiste nous a assuré qu'il n'avait pas été facile de nous garder de bonnes chambres. Nous lui avons demandé si cela était dû à la campagne électorale. "Oh, non, ici nous ne nous intéressons qu'à *la campagna del pomodoro*" — à la campagne de la tomate. Vittoria est en fait le marché aux *primizie*, artichauts, pois, haricots, tomates et raisins précoces le plus important de l'île. Les acheteurs viennent ici choisir et négocier, ce qui explique la qualité de l'hôtel. Nous avons trouvé la salle à manger remplie d'hommes, la plupart habillés comme des ouvriers, mais ne lésinant pas, de toute évidence, sur la chère et le vin, qui ne pouvaient être bon marché.

Le nom "Vittoria" n'a rien à voir avec une bataille ni une victoire, mais avec le fait, plutôt touchant, que son fondateur, un Colonna, vice-roi d'Espagne au début du XVIIe siècle, la baptisa ainsi du nom de sa fille, à qui il portait une grande affection. Sur la grand-place, même genre d'église qu'à Modica et à Ragusa, mais flanquée d'un théâtre dans le style classique, l'un des plus beaux exemples de ce style en Europe. Comme dans la plupart des villes siciliennes, le jardin public pourrait servir de modèle à ceux des villes du nord. Nous nous sommes trouvés à midi moins dix à l'entrée principale, où nous sommes tombés sur un *custode* qui annonçait avec quelque empressement qu'il fermait à midi pile. Nous avons allégué le fait que nous venions de loin pour voir le jardin et lui avons demandé s'il pourrait attendre que nous ayons le temps d'aller admirer la vue à l'autre bout. Non, si cela nous prenait plus de dix minutes, il fermerait le jardin, *militarmente*, à midi. Nous avons donc abandonné, mais nous nous sommes plaints à l'aubergiste qui, profondément indigné, a téléphoné au Sindaco ; celui-ci a envoyé un représentant chargé de nous présenter ses excuses, et il a donné l'ordre que le jardin soit immédiatement réouvert pour nous. Le fautif nous attendait à l'entrée, un bouquet de fleurs à la main et l'air contrit, et nous fîmes la paix. La vue, à l'autre bout du jardin, qui domine la vallée de l'Ippari, valait bien la dispute. Mais combien d'expériences désagréables ce *custode* ne m'a-t-il pas rappelées, dans des musées où le gardien commence à crier et à remuer ses clefs une demi-heure avant l'heure de la fermeture, sans qu'il soit possible de parvenir au genre d'*accomodement** dont nous avons bénéficié à Vittoria !

Agrigente, 2 juin 1953.

Nous voici donc à Agrigente, après avoir traversé de riches contrées agricoles, des champs immenses de blés mûrs et dorés séparés de la mer par une mince bande de plage, tandis que les caps de Gela et Licata surplombent le paysage de façon si saisissante qu'on en vient à se demander si la côte n'était pas très différente en 800 av. J.C. de ce qu'elle est aujourd'hui. La mer devait remonter beaucoup plus haut dans les terres, isoler les villes, et rendre leur défense beaucoup plus aisée, tout en exacerbant leur indépendance et leur hostilité les unes par rapport aux autres. Comme j'aimerais que mes connaissances en géologie puissent confirmer mes suppositions ! Ma femme se plaignait de ce que nous ne puissions pas nous permettre d'emmener durant nos voyages un géologue et un botaniste, pour nous dire à quoi le terrain ressemblait exactement et ce qui y poussait autrefois. La Sicile tout entière devait être entourée d'îlots rocheux, qui de nos jours semblent les bords relevés d'un plat ovale. Quant aux arbres et aux fleurs, je me souviens avec nostalgie du plaisir que j'avais en Grèce en 1888 à avoir pour compagnon de voyage un biologiste et botaniste hollandais, qui est devenu plus tard directeur des fameux jardins botaniques de Buitenzorg à Java. Il m'indiquait ce qui poussait dans la Grèce antique, et les plantes qu'on avait introduites depuis ; privilège réservé aux seuls princes, quand ils effectuaient jadis leur Grand Tour. En arrivant en vue des temples d'Acragas, le soleil se couchait, transfigurant les colonnes de ces constructions simples aux proportions harmonieuses. La Grèce n'offre pas de meilleure illustration de l'hellénisme, si ce n'est au Parthénon.

---

*En français dans le texte.

Teatro Comunale,
Chiesa delle Madonna delle Grazie,
Vittoria.

Agrigente, 3 juin 1953.

Hier nous avons eu l'une des rares journées de grand beau temps dont nous ayons bénéficié depuis le début de notre périple. Avons passé la matinée dans la ville, à regarder les admirables châsses de Limoges du XIIe siècle dans la sacristie du Duomo, et le célèbre sarcophage de Phèdre, tant admiré par Goethe. La composition est excellente, l'exécution mauvaise. En passant par la sacristie, nous avons jeté un coup d'œil aux portraits poussiéreux de dignitaires passés, accrochés aux murs. Qui les regarde maintenant, qui connaît leur nom, qui se soucie d'eux et de ce qu'ils ont fait ?

Dans le musée, quelques bons vases attiques, d'impressionnantes têtes colossales du Temple de Zeus, et plusieurs beaux portraits de la République romaine.

Le vieux et calme Girgenti de ma première visite en 1888 est aujourd'hui une ville de marché très animée, avec une piazza où l'on se bouscule et un hôtel des postes dans le style babylonien dû aux architectes impériaux de l'époque fasciste.

Suis retourné aux temples cet après-midi, me promenant de l'un à l'autre, tout en profitant de la lumière, et en me demandant à quoi la grande ville devait ressembler quand elle s'étendait jusqu'à l'endroit où se trouvent aujourd'hui la cathédrale et l'Athéna de Rhypes. L'immense télamon du Temple de Zeus, gisant au sol, le dispute en taille aux colosses égyptiens. C'est peut-être l'influence directe de l'Egypte qui rapproche tant des Africains les Grecs de la Sicile du sud dans leurs tentatives de construire et de sculpter sur un mode hors de proportion avec la stature humaine. Même Athènes n'échappa pas entièrement à la tentation du colossal, mais aucune cité grecque ne s'y essaya après le Ve siècle. Le Temple de la Concorde est très bien conservé, car il fut transformé très tôt en église chrétienne, et ses environs immédiats en cimetière. Le long de l'escarpement de la vallée des temples, devaient se dresser des murailles imposantes ; on a en effet trouvé, dans les énormes masses déplacées par les tremblements de terre, des vestiges de tombes qui devaient avoir été creusées dans leur épaisseur. Il semblerait donc que les temples eux-mêmes n'aient pas été visibles, comme aujourd'hui, de la mer, d'autant plus que la grève devait être beaucoup plus proche à l'époque. Je crois avoir lu quelque part que les colonnes du temple étaient recouvertes de stuc à l'origine. Etaient-elles aussi belles qu'elles le sont maintenant avec leur chaude couleur de miel ? J'en ai la nostalgie du temps où je pouvais venir passer des heures entières, adossé à une colonne, à sentir le thym et à lire Théocrite ou Virgile.

Il y a soixante-cinq ans, par une nuit clémente de fin d'automne, mon compagnon et moi avions décidé d'aller admirer les temples à la lumière de la pleine lune. A mi-chemin nous entendîmes le piétinement de chevaux. Deux carabinieri nous rejoignirent et nous invitèrent très courtoisement à rebrousser chemin, en invoquant des raisons qui parurent assez convaincantes pour nous faire abandonner notre rêve romantique.

Castelvetrano, 5 juin 1953.
Hier, entre Agrigente et Sélinonte, nous nous sommes arrêtés dans le charmant bourg côtier de Sciacca pour voir les églises, les palais et des sculptures du XVe siècle, dont une autre Vierge attribuée à Laurana. Sommes parvenus à Sélinonte assez tôt pour faire une visite complète, dans la lumière de la fin d'après-midi, en nous frayant un chemin au milieu des piles d'énormes chapiteaux et des cylindres de colonnes éparpillés sur le sol, comme si des tremblements de terre les avaient fait tomber. Selinus, plus encore qu'Acragas, s'est essayée au colossal à l'échelle égyptienne : on se demande où une ville située aux confins du monde grec pouvait trouver la main d'œuvre nécessaire à la construction d'édifices si gigantesques. Pour construire le Parthénon et les Propylées, Athènes pouvait exiger des contributions de ses alliés récalcitrants. Mais ici il n'y avait que de grands champs de blé, à la production duquel s'ajoutaient celles du vin et de l'huile. Il faut saluer l'initiative du régime fasciste qui a remis à la verticale certaines colonnes du grand temple sur l'acropole, et continué la route, permettant ainsi aux voyageurs d'accéder en automobile jusqu'au site. Mais cela a l'inconvénient de concentrer l'attention sur ce dernier, au détriment des ruines impressionnantes plus à l'intérieur des terres. Il faudrait tout le don d'un poète pour donner une idée de l'endroit, et décrire les émotions qu'il suscite chez le spectateur. Seuls de grands élégiaques, tels Léopardi, Shelley ou Keats sauraient les communiquer au lecteur.

L'auberge, ou plutôt le refuge, ne s'est pas amélioré avec le temps, et les vicissitudes de la dernière guerre. Mais une fois encore je lui sais gré de son existence, car il m'aurait été pénible d'aller plus loin après la visite de Sélinonte. Un garçon de treize ans semble effectuer le gros de la besogne, porter les bagages, etc. Il irait loin si on lui donnait sa chance, parce qu'il est capable, rapide et intelligent. Ici il est seulement nourri et logé.

Trapani, 5 juin 1953.

En plein jour, Castelvetrano nous a paru incroyablement sale. Dans les rues, les détritus, la poussière et des papiers souillés emportés par le vent nous venaient au visage. Quand nous avons essayé d'entrer dans le *Municipio,* afin de voir le Kouros de la haute époque de Sélinonte, nous l'avons trouvé envahi par des furies vêtues de noir, qui hurlaient et gesticulaient. L'employé qui nous a conduit à la salle où il est exposé nous a dit que le conseil municipal était en grève et qu'aucun travail effectué pour la mairie n'avait été rémunéré depuis quatre mois.

Par contraste, Mazzara del Vallo était particulièrement jolie, bien entretenue, et possédait un beau jardin autour de la cathédrale, en plus d'un jardin public charmant sur le front de mer. A l'intérieur de la cathédrale, plusieurs sarcophages antiques, l'un surtout, d'une facture proto-ravennienne ou peut-être constantinienne, et représentant Méléagre et Calydon.

Déjeuner et repos dans une auberge bien tenue de Marsala. Dans la cathédrale, belles colonnes de divers marbres africains, et grande agitation : c'étaient les préparations de la procession du Corps du Christ. Les petites filles se pavanaient dans leurs dentelles virginales de première communion.

Route toute en lacets jusqu'à Erice : vues sur la mer et les caps de plus en plus belles et étendues. Au sommet, dominant les pinèdes, l'élégant petit bourg avec son château romantique et sa cathédrale dont le portail est entièrement français, tandis que l'intérieur est du plus pur gothique Louis-Philippe. On nous dit que feu Victor Emmanuel III venait souvent ici savourer le calme, à l'écart de la foule et du bruit.

Sarcophage de Phèdre,
sacristie de la cathédrale d'Agrigente,
(IIIᵉ siècle avant J.C.)

Trapani, 6 juin 1953.

Le vieux Trapani suit le plan typique des villes romaines : venelles étroites s'entrecoupant à angle droit, et regorgeant d'une foule pressée qui va en tout sens. De nombreux palais, certains agrémentés de portails aragonais au délicieux flamboiement, les autres baroques. Dans l'ensemble, une ville majestueuse avec de beaux jardins publics. Nous nous sommes promenés dans les rues et, comme il semblait y avoir un nombre impressionnant de magasins d'optique, nous sommes entrés dans le plus élégant, et avons demandé s'ils avaient une nouvelle monture pour remplacer les miennes qui étaient trop grandes. Ils n'avaient rien qui allât. Nous avons fait de même dans une boutique à l'aspect beaucoup plus humble : sans hésiter un instant, l'opticien a donné à mes lunettes la forme qui me convenait en utilisant un petit chalumeau électrique. Cela m'a rappelé une histoire que m'avait racontée un ami allemand : une voiture de tourisme qui traversait le couloir de Dantzig tomba en panne dans un village où personne ne sut trouver la raison de la panne. On envoya finalement chercher un mécanicien juif émigré qui la remit en marche après lui avoir donné quelques coups avec un petit marteau. Il demanda trente zlotys, ce qui sembla excessif aux touristes. "Vous n'avez donné que quelques coups de marteau !" "Dix zlotys pour m'être dérangé, et vingt *für gewusst wohin* – pour avoir su où taper". Mais mon opticien de Trapani ne voulut rien accepter pour avoir su *comment* donner la forme adéquate à mes lunettes.

L'auberge, très acceptable, est tenue par les propriétaires eux-mêmes, qui ne pourraient être plus courtois, ni plus serviables. A nouveau, beaucoup de clients du restaurant sont habillés comme des ouvriers, et l'on se demande comment ils peuvent se permettre la dépense, à moins qu'ils ne bénéficient d'un régime de faveur. Ou est-il devenu à la mode d'avoir l'air d'appartenir à la classe ouvrière ? Il semble dommage d'établir des distinctions artificielles de classe dans un pays comme l'Italie, où le type physique ne varie guère d'une couche sociale à l'autre.

Hier après-midi, merveilleuse randonnée à Ségeste. Très romantique, la première vision qu'on a du temple depuis la route... mais il n'est pas assez imposant de loin pour affecter le paysage comme il le fait de près. Dans l'ensemble, aussi impressionnant que jamais : affirmation de la raison, de l'ordre et de l'intelligence, au milieu du désordre, de l'indifférence, de l'anarchie de la nature. Les colonnes n'ont rien de comparable avec celles du Parthénon, de Paestum ou de Bassae : il

Autel des divinités chtoniennes,
Agrigente.

leur manque l'élégant renflement du milieu, et elles semblent avoir été pressées dans un moule s'élargissant du chapiteau vers la base. Serait-ce qu'elles n'ont jamais été achevées ? Je crois me souvenir qu'un ami archéologue me disait que le travail de finition était exécuté sur place. Malheureusement je n'ai pas été capable de marcher jusqu'au théâtre, sur le site de l'ancienne Egeste, ou Ségeste, comme les Romains préféraient l'appeler. "Egeste" sonnait mal à leurs oreilles, parce que cela ressemblait trop au mot latin qui signifie "indigence". Pourquoi une cité s'est-elle développée sur ces lieux ? Peut-être parce qu'elle était facilement défendable.

Le vacarme de la campagne électorale s'est prolongé en s'intensifiant jusqu'après minuit. D'une manière atténuée, on retrouvait l'esprit carnavalesque incontrôlable des élections présidentielles aux Etats-Unis : c'est presque un *sfogo* quinquennal. Si je n'avais pas su de quoi il s'agissait, je n'y aurais pas compris davantage qu'au caquet de milliers d'oies en Lithuanie, où j'ai passé mon enfance. Je me souviens que je m'approchais d'elles autant que je le pouvais, dans l'espoir de comprendre leur conversation.

Palerme, 7 juin 1953.
Hier après-midi, à Trapani, nous sommes d'abord allés au Santuario della Santissima Annunziata, où la célèbre image de culte – une Vierge de l'école de Nino Pisano – n'est plus entièrement recouverte de montres en or et en argent, de bijoux et de breloques comme elle l'était lorsque je l'ai vue en 1908. Le Museo Pepoli se trouve dans le couvent voisin désaffecté : les cloîtres et les escaliers grandioses, les vastes couloirs rappellent Sankt Florian en Autriche. C'est le fondateur du musée, le comte Pepoli, encore en vie à l'époque, qui nous avait fait les honneurs de l'endroit en 1908. Je me souviens qu'il nous avait montré la guillotine et nous avait expliqué son fonctionnement avec satisfaction et quelque pédanterie. Le musée abrite un assortiment de mobilier religieux et profane, quelques objets antiques, une collection sans intérêt de tableaux récents et, surtout, un bel assortiment de céramiques.

Nous avons atteint Palerme en fin d'après-midi après une nouvelle randonnée très agréable sur de belles routes, un nouveau coup d'œil au temple solitaire de Ségeste, une impression plutôt sordide de Partinico et, enfin, une course le long d'une côte merveilleuse.

Notre hôtel, la Villa Igea, a sur plusieurs étages les salons les plus nombreux et les plus somptueux que j'aie jamais vus, des salles de lecture, des bureaux, des bars ; un immense jardin regorgeant de palmiers et de toutes sortes de plantes sub-tropicales, le tout donnant directement sur la mer, tandis que se découpe, de l'autre côté du golfe, le profil dentelé des montagnes. On a la curieuse impression de se trouver sur un super-paquebot de la ligne Atlantique, qui se déplacerait si doucement qu'on n'en ressentirait pas le mouvement. Tout en bon ordre et de bon goût, sans considération pour la dépense. L'hôtel peut accueillir, m'a-t-on dit, cent quatre-vingts clients. Il doit y en avoir dix-huit à présent. Comment peut-il être rentable ? Il appartient à l'époque d'avant la première guerre mondiale, quand rien ne semblait assombrir l'horizon de notre prospérité grandissante, ni entraver notre liberté de jouir de la beauté et du confort d'un hôtel comme celui-ci.

Palerme, 9 juin 1953.

Ai passé la matinée d'hier à la Chapelle Palatine, un joyau de l'art byzantin au somptueux plafond à alvéoles, presque purement arabe. Qualité des mosaïques pas des meilleures ; le trait rappelle Deodato Orlandi, le peintre lucquois du XIIIe siècle. Dans l'ancien Palazzo Reale, appartement de Roger, avec ses arbres et ses animaux stylisés, une composition parfaite, plus perse, ou plus seldjoucide, à la rigueur, qu'arabe. Palais pas aussi bien entretenu qu'il serait souhaitable, mais on prévoit des réparations et des restaurations.

Palerme, 10 juin 1953.

Sommes retournés à Monreale. Le plaisir que me procure l'église est presque gâché parce que je ne peux me l'approprier tout entière, avec tous ses détails, la faire mienne pour l'apprécier à loisir quand j'en aurais besoin, malgré des restaurations de mauvais goût et parfois même grossières. L'effet d'ensemble est si merveilleux, si céleste, que l'assemblée des fidèles, au Moyen-Age, devait penser se

Péristyle du Temple de la Concorde à Agrigente.

98.

Temple de Segeste.

trouver dans une antichambre du paradis, telle la Jérusalem dorée du cantique. C'est une illustration complète des parties narratives de l'Evangile et de la Vie des Saints. Dans le cloître, divers chapiteaux – *chacun différent l'un de l'autre,* ainsi que le proclame invariablement le guide – certains d'excellente qualité sur le plan de la composition, de l'interprétation et de la sculpture. Les meilleurs sont bourguignons et me rappellent ceux d'un petit musée près de l'Eglise de l'Annonciation à Nazareth, en Palestine. Puisque nous savons que de nombreux architectes, sculpteurs et peintres à fresque se joignaient aux Croisés, nous pouvons imaginer que quelques-uns ou des groupes de plusieurs d'entre eux, se sont arrêtés en Sicile sur le chemin de l'Orient en laissant des traces çà et là.

Palerme, 11 juin 1953.

Je suis à nouveau frappé, dans le Musée d'art antique, par l'uniformité de "style" dans toutes les parties du monde grec et de ses dépendances culturelles, comme, par exemple, l'Etrurie. Une uniformité plus grande encore que celle de l'art "parisien" de nos jours. Tout est soit de face, soit de profil. L'intérêt de l'artiste était concentré sur la forme, si bien que le mouvement est plus ou moins négligé. Les derniers métopes de Sélinonte ont atteint une perfection de forme, mais l'action, le mouvement restent lourds et limités. Ce qui tend à confirmer la thèse selon laquelle les valeurs tactiles étaient l'objectif premier des maîtres de la Grèce archaïque, comme chez les plus doués des primitifs. Une assez importante collection étrusque dans le musée prouve à quel point l'art étrusque s'inspire de l'art grec. Il ne présente que des variations sur les mêmes sujets, et cela avec une qualité d'exécution inférieure. Seule l'originalité de l'incompétence le distingue de l'art grec.

Palerme, 12 juin 1953.

De même que le Tempio de Rimini habille un intérieur gothique d'un extérieur Renaissance, la cathédrale de Palerme abrite un intérieur du XVIIᵉ siècle sous un extérieur médiéval. Il me semble impossible qu'un monument si magnifique de la capitale de l'empire

Mosaïque au Centaure,
Palais National, Palerme.

normand-souabe soit resté sans décoration. Il devait y avoir là des mosaïques aussi belles que celles de Monreale. Je me souviens avoir lu quelque part qu'on les détruisait au XVIIe siècle avec l'indifférence, voire l'hostilité, envers les arts du passé, caractéristique des époques convaincues de leur irrésistible supériorité. Parfois les architectes se contentaient de les recouvrir de chaux. A Messine on découvrit ainsi plusieurs mosaïques dans l'abside de la cathédrale, pendant les travaux de restaurations, à la suite du tremblement de terre de 1908.

Les tombes des personnages royaux normands et Hohenstaufen ont dû être copiées des tombes impériales de l'Eglise des Apôtres – aujourd'hui la Mosquée Fatimieh – à Constantinople.

Sommes retournés au charmant Oratoire de San Lorenzo, où Serpotta anticipe le Directoire, et même le style Empire ; puis à San Francesco, afin de voir les intéressants détails architecturaux mis au jour par les bombardements et les excellentes restaurations qu'ils ont occasionnées. Au *Municipio*, le *"Triomphe de la Mort"*, autrefois au Palazzo Sclafani, beaucoup plus dramatique que le "Triomphe" pisan.[7] Quelques têtes en raccourci comme aucun Italien du milieu du XVIe siècle n'aurait osé les peindre.

Palerme, 13 juin 1953.
Suis allé à la Villa Valguarnera à Bagheria et ai admiré depuis son vaste jardin-terrasse, l'un des plus beaux panoramas qui soit. Ensuite à la Villa Palagonia, avec ses statues grotesques et le magnifique travail sur chacune des pierres. Tout est crasseux, délabré, à l'abandon. Quel dommage! On dépense, pour restaurer des tableaux et des fresques de troisième ordre, des millions qui pourraient servir à sauver des monuments d'un goût et d'un art consommé que le fascinant XVIIIe siècle nous a légués. Leur disparition partout en Italie – et hélas, en Angleterre et en Europe centrale aussi! – va gommer d'importants chapitres de l'histoire de l'art.

Palerme, 14 juin 1953.

Suis retourné au Palazzo della Zisa, qui est un parallélépipède ; il est formé, plus exactement, de deux cubes posés l'un sur l'autre. Il s'en dégage une impression de puissance, d'ordre et d'élégance, comme peut-être d'aucun autre bâtiment médiéval existant. Mais sa splendeur est malheureusement de peu d'effet face à l'aspect sordide des maisons qui l'entourent. S'il est prévu de restaurer le palais et le jardin, celles-ci ne recevront sans doute pas le même traitement !

Le vieux Palerme, que je visitai pour la première fois en 1888, s'arrêtait à l'Opéra, qui n'était pas encore achevé. Ce quartier résidentiel, aujourd'hui presque aussi important que la ville elle-même, on n'imaginait pas qu'il pût exister un jour ! La vieille ville a beaucoup décliné. La magnificence aristocratique de ses deux principales artères, qui se croisaient aux Quattro Canti, s'en est allée avec les beaux équipages qui les arpentaient sans hâte. Les rues sont trop bruyantes et encombrées pour être attrayantes, personne ne semble sorti pour le seul plaisir d'être dehors, chacun se presse et s'affaire. Les bombardements ont fait des ravages parmi les palais qui donnaient directement sur la mer. A présent, une esplanade, utile mais laide, les sépare du bord de l'eau. Les palais du centre ont également souffert des bombardements, ou ne sont plus ce qu'ils étaient, quoique les représentants des plus anciennes familles parviennent encore à mener l'existence privilégiée de l'élite cultivée et oisive du XVIIIe siècle. Malgré cette impression ressentie par un *revenant** soixante ans après, je trouve que le changement est superficiel. Des gens de toutes classes paraissent prêts, encore aujourd'hui, à se joindre aux explosions périodiques d'enthousiasme que suscitent certains événements politiques ou religieux. Santa Rosalia est encore présente partout, et je ne doute pas que si j'avais eu la chance de participer à sa fête, j'aurais trouvé la description de Goethe tout à fait conforme à la réalité.

Palerme, 15 juin 1953.

Comme j'ai mentionné Goethe hier, je me suis remis à lire ses immortelles descriptions de la Sicile. Ce qui me frappe le plus cette fois est sa façon d'être si absorbé par la gestation de ses écrits qu'il en

---

*En français dans le texte.

Création des Astres,
Dôme de Monreale.

Triomphe de la Mort,
(anonyme, XVᵉ siècle),
Galleria Nazionale, Palerme.

oublie les désagréments du voyage. De Naples à Palerme il a le mal de mer, se repose, allongé sur le dos, n'avalant rien que pain et vin rouge, mais il ignore sa nausée pour se tourner vers sa tâche, terminer et améliorer son *Tasse*. Visitant Palerme, il dévore tout des yeux en même temps qu'il réfléchit à son œuvre, et à un *Nausicaa* qu'il songe à écrire. Il ne prend pas de notes mais travaille à fond un thème avant de se mettre à sa table de travail. Il prétend, avec un contentement presque enfantin, pouvoir rapporter tous les détails de ses rencontres et de ses séparations qui, sans être aussi tragiques que celles de Nausicaa et d'Ulysse, sont passablement nostalgiques.

Assis dans un parc, il est pris d'une irrésistible curiosité envers les plantes, parmi lesquelles il espère découvrir l'*Urpflanze* – la première pousse –, d'où sont nées toutes les autres. Durant son voyage, le gothique le laisse indifférent. Aucune remarque sur les réalisations normandes ni souabes, pourtant si chères aux Romantiques allemands. Il ne note aucune visite aux tombes dans les cathédrales, signale avoir traversé Monreale à cheval mais ne semble pas avoir vu les mosaïques ni les incomparables sculptures des cloîtres, de même que quelques mois auparavant à Assise, il ne fait aucune référence à Saint François ni à tous les merveilleux tableaux du XIVᵉ siècle. C'était un grand génie, et pourtant il était limité dans ses goûts : il exprimait et interprétait seulement les enthousiasmes de son temps, communs au monde auquel il appartenait avant de venir en Italie. Si, en marchant sur ses pas, je prends note de son indifférence envers ce qui fait notre plus grand plaisir aujourd'hui, ce n'est pas pour dénigrer la qualité de ses pages. Je veux simplement montrer la distance que des traditions culturelles différentes mettent entre nous et des hommes éminents des âges passés.

Il apprécie la somptuosité de son appartement dans ce qui, de mon temps, était le splendide Palazzo Butera, sur le rivage. Puisqu'il n'y avait aucune ruine classique à Palerme, il s'abandonne au plaisir du paysage, est fasciné par la bonne humeur et le cynisme, à la fois, des habitants, par les lubies absurdes des gens haut placés. Il décrit l'incroyable saleté des rues, et la résignation de chacun devant cet état de fait.

Se souvenant que c'est à Palerme qu'est né Cagliostro, le mage du XVIIIᵉ siècle, le faiseur de miracles, l'imposteur qui ferait rougir de honte les plus célèbres charlatans spiritualistes et *swamis* de notre époque, Goethe va rendre visite aux membres de sa famille – sans

Villa Palagonia, Bagheria.

manquer d'éprouver quelque remords, à cause des petits mensonges qu'il doit raconter afin de les approcher. Il parle avec une sympathie touchante de leur mode de vie, humble mais digne, et de la noble résignation de la mère de Cagliostro.

Goethe, à Bagheria, est choqué par les monstres et les statues grotesques de la Villa Palagonia, car, à son habitude, il ne s'attache, dans l'art visuel, qu'aux formes, et oublie la qualité d'exécution. Quelques jours plus tard, il rencontre dans la rue un vieux monsieur distingué, en habit de cour, suivi par des serviteurs en livrée qui présentent des écuelles à aumônes. Il se renseigne et apprend que c'est le créateur et propriétaire de la Villa Palagonia, et qu'il collecte des fonds pour libérer des esclaves en Afrique du nord. Et Goethe de s'émouvoir, tout en souhaitant qu'au lieu d'avoir gaspillé son argent en construisant de telles folies, l'homme l'ait tout dépensé pour des causes aussi nobles. En traversant à cheval l'intérieur de l'île, Goethe trouve des chambres de plus en plus misérables, sauf à Alcamo, et il parle d'Enna et de Castro-giovanni – *toute proportion gardée** – comme je viens de le faire, c'est-à-dire sans couvrir d'un voile les désagréments matériels rencontrés dans des lieux qui devraient être des paradis.

Ailleurs, non seulement à la campagne mais en ville aussi, il se passionne pour la minéralogie, moins pour les pierres elles-mêmes que pour les renseignements qu'elles lui fournissent sur la formation géologique. Il exulte à Girgenti devant les temples que nous admirons toujours autant, et d'autres ruines, sur le chemin de l'Acropole, qui ont disparu depuis.

Il est accompagné par un dessinateur – qu'un appareil-photo l'eût enchanté! –, et en traversant des paysages dont les lointains et les horizons nous paraissent sublimes, il se désole que rien n'inspire son ami. Pour eux rien n'existe que le premier plan.

Son voyage en Sicile, mais aussi son voyage en Italie, montrent combien même un génie tel que Goethe reste tributaire de son époque. Nous pensons vainement être capables de tout admirer sur terre. Même les plus doués d'entre nous ne peuvent dépasser de beaucoup les limites intelligibles fixées par notre éducation.

---

*En français dans le texte.

Palerme, 16 juin 1953.

Dernier jour. Suis monté au Monte Pellegrino par un matin radieux, et ai été triste de devoir quitter toute cette incomparable beauté. Si seulement nous pouvions la posséder tout entière et la garder, nous serions des dieux.

TRIPOLI ET LEPTIS MAGNA, MAI 1955.

Syracuse, 2 mai 1955.

Nombre de mes amis, ne voyageant plus à présent qu'en avion, sont scandalisés parce que je préfère emprunter, pour ce voyage à Tripoli, des moyens de transport aussi désuets que le train et le bateau. A l'instant il me semble qu'ils n'ont pas tort, car je n'ai pas trouvé la *Freccia del Sud* à la hauteur de mes espérances. On y est secoué, obligé par deux fois de se frayer un passage, en poussant et en titubant, à travers six ou sept voitures aux couloirs encombrés et pleins de courants d'air, pour aller au wagon-restaurant et en revenir en jouant des coudes. En outre, à partir de Rome, la dénomination *Freccia del Digiuno* serait peut-être plus juste. On peut se procurer, tardivement, un petit déjeuner sur le ferry-boat, et un *cestino* à la gare de Catane, hormis quoi le voyageur ne trouve guère à se sustenter.

Je suis pourtant ravi de me retrouver ici, par un temps splendide, dans une lumière somptueuse, et de revoir ce qu'il y a deux ans il m'avait été impossible de revisiter à cause d'un *liveccio* déchaîné. Tout d'abord le théâtre grec, à la géométrie parfaite, gâché cependant par les cheminées d'usine et les bâtiments suburbains qui ont été construits entre lui et la mer. Puis le fort d'Euryale, l'une des plus frappantes réalisations de l'Antiquité qui nous soient, fort heureusement, restées. Aucune maison sordide aux alentours, et le silence d'un monde où, depuis des siècles, il ne s'est rien passé.

115.

*A bord de l'*Argentina, *3 mai 1955.*

Contrairement à la *Freccia del Sud,* ce navire de la ligne tyrrhé-
nienne me surprend agréablement. On m'avait dit qu'il était vieux et en
mauvais état, or, je le trouve propre et bien entretenu – de l'espace pour
se promener, un service empressé et un capitaine charmant. Parmi les
passagers, un vieil ami, Giacomo Caputo, avec lequel il y a vingt ans,
quand il était jeune inspecteur des monuments à Benghazi, j'ai passé
plusieurs jours à Cyrène. A la mort de Guidi, il est devenu Surintendant en Libye et a dirigé les fouilles du théâtre à Leptis Magna où il
retourne maintenant afin de prendre d'ultimes notes et mesures avant
de publier les résultats de son importance découverte.

Tripoli, 5 mai 1955.

Hier matin, j'ai été enlevé par mon hôtesse sur le quai et ai
laissé à mes compagnons la charge des formalités de douane. Ai appris
par la suite qu'il n'avait pas été facile de se procurer des porteurs car
nous sommes en pleine période de Ramadàn, le grand jeûne musulman où l'on ne touche à aucune nourriture ni boisson, du lever au
coucher du soleil. Qui peut blâmer les porteurs de négliger leur travail
dans de telles circonstances ?

J'ai remarqué peu de changements dans la ville quand nous
l'avons traversée en automobile pour gagner la maison, isolée dans
les faubourgs. Le Lungomare toujours magnifique, l'un des plus beaux
fronts de mer de la Méditerranée, jardins publics bien entretenus,
maisons blanchies à la chaux bien propres. La villa, qui a appartenu
aux Karamanlis, a été achetée par Giuseppe Volpi il y a environ
vingt-cinq ans, et c'est sa fille, notre hôtesse, qui en est aujourd'hui
propriétaire. On a su la doter de tous les *conforti moderni* sans pour
autant lui ôter son charme mystérieux de demeure orientale. La maison
semble tourner le dos à la rue, d'où seul est visible un mur blanc et nu
percé de deux *portoni* verts et massifs, pour se consacrer tout entière à la
douce contemplation de sa vie intérieure. Du grand patio, avec ses
élégantes colonnes de marbre et sa fontaine bruissante, on rejoint les
salles de séjour, agréables et fraîches, les autres cours, plus petites, et
les couloirs qui mènent au jardin-oasis où les troncs des palmiers se
dressent, telles les colonnes d'une mosquée idéale, au-dessus d'un tapis

Gorgone du Forum de Septime Severe,
Leptis Magna.

de fleurs plantées en carrés réguliers, entrecoupés par d'étroits canaux d'irrigation. Flamboiement des couleurs sur le sol, sur les arbres et les buissons en fleur, et sur les murs recouverts de bougainvilliers. Fascinant chatoiement au gré de la brise qui agite mollement les palmes.

Tripoli, 7 mai 1955.

Je me sens aussi faible et nonchalant que ceux qui observent le Ramadàn, désireux de ne fournir aucun effort. Suis entièrement satisfait de me promener dans le jardin, de m'asseoir près de la mare aux nénuphars, de lire ou de me faire faire la lecture, de bavarder, de rêver, d'observer le coucher du soleil depuis le toit en terrasse. Mon hôtesse a invité le surintendant des Monuments, Ernesto Vergara Caffarelli, qui est d'après moi un archéologue extrêmement intelligent, actif et compétent, en même temps qu'un homme sympathique. Il faut rendre honneur au gouvernement libyen d'avoir nommé un autre Italien pour succéder à Caputo (qui s'était acquitté de ses fonctions avec grand tact durant la guerre et les difficiles années de l'après-guerre) lorsque celui-ci fut nommé Surintendant des monuments antiques en Etrurie. Vergara paraît s'entendre avec les autorités dont il dépend et parvient à effectuer un travail énorme avec un budget minime.

Tripoli, 11 mai 1955.

Avec Vergara à Sabratha, où Guidi nous avait menés il y a vingt ans : ravi de voir que l'avenue qui mène aux fouilles porte aujourd'hui son nom. Malheureusement, trop fatigué pour faire le tour entier des ruines mais ai pu admirer les belles mosaïques et les bustes dans le musée et le théâtre dont la reconstruction était à peine entreprise il y a vingt ans. Les oliveraies le long de la route ont prospéré et bon nombre de concessions semblent encore appartenir à des Italiens. D'autres paraissent abandonnées. Que de travail et de capitaux ont été investis ici durant l'occupation italienne ! On ne peut s'empêcher de se demander ce qui va se passer quand le mandat allié viendra à terme. Les Lybiens voudront-ils poursuivre et préserver ce qui peut leur sembler l'intrusion d'un monde hostile ? Et même s'ils sont assez sages maintenant pour comprendre la grande valeur de toutes ces réalisa-

Oasis de Saniet-Volpi, Tripoli.

tions, leurs Seigneurs et Maîtres les Sanùsis leur permettront-ils de les préserver? Apparemment les deux camps se haïssent. Les Lybiens se considèrent, à juste titre je crois, comme plus civilisés : ils n'ont pas une très haute opinion de leurs maîtres nomades. Mais, dans cette oasis de calme et de paix où je me trouve, je ne m'estime pas assez au courant de l'évolution politique pour pouvoir porter un jugement.

Théâtre antique de Sabratha.

Leptis Magna, 15 mai 1955.

Je suis très touché par toute la peine qu'on prend pour me rendre possible cette excursion. Vergara a mis à notre disposition les pièces à l'arrière du musée. Caputo et son assistant, qui y séjournaient, les ont quittées afin de nous laisser la place, mon hôtesse a organisé un petit déménagement pour que nous ayons tous, et moi en particulier, le maximum de confort pendant ces deux journées. Le plus miraculeux est qu'on a ressorti pour moi une sorte de voiture à bras à quatre roues, qu'on pousse sur des rails Decauville, et qui était utilisée lors des visites de *gerarchi* et de notables : elle m'épargne une marche pénible à travers les vastes étendues des ruines. Quatre ouvriers me poussent et me tirent d'un site à l'autre tandis que Vergara est toujours prêt à me donner les explications nécessaires.

Le souvenir le plus vif que je garde de ma visite il y a vingt ans est celui de la grande basilique : il est confirmé aujourd'hui par ce que je vois. Chaque détail est d'une élégance excempte de toute surcharge baroque, comme à Baalbek par exemple. Les grands piliers sculptés sont fouillés avec une telle recherche qu'ils font l'effet de dentelles, comme dans les meilleures sculptures indiennes, la façade de Mschatta in Moab (dont la plus grande partie se trouve au Musée de Berlin), ou les ivoires carolingiennes de la même période.

Leptis Magna, 16 mai 1955.

Le moment le plus captivant de la visite est le théâtre, mis au jour sous la direction de Caputo depuis notre passage ici en 1935. La scène, l'orchestra et les sièges, de loin les mieux conservés que j'aie jamais vus, et des vestiges de la colonnade supérieure suffisants pour permettre d'imaginer l'ensemble complet. Une autre particularité, que je ne me souviens pas d'avoir vue ailleurs, ou du moins pas de façon si reconnaissable, est le déambulatoire à colonnade, couvert à l'origine (correspondant à ce qu'on appelerait de nos jours "le foyer"), et construit en demi-cercle autour des ruines d'un temple.

Je ne brûle plus comme autrefois d'une curiosité ardente et du désir de redonner aux ruines leur forme d'origine. Sans doute en partie parce que je ne peux plus, tel un caniche, courir de pierre en pierre et renifler chacune. Mais j'ai toujours entretenu avec les ruines une relation romantique, pour peu que le cadre le permette, et qu'elles ne se trouvent pas en plein cœur d'une cité animée comme, aujourd'hui, la Rotonde dans l'enceinte de la Gare Centrale à Rome. J'aime encore rêver, muser et voir dans les ruines des scènes que mon imagination évoque, des lieux magiques.

Leptis est, tout compte fait, l'un des ensembles de ruines les plus spectaculaires des côtes de la Méditerranée. Elle soutient même la comparaison avec Palmyre, le port du désert, ou Baalbek, avec ses colonnes géantes et sa décoration florale trop ornée. Il y a encore beaucoup de fouilles à effectuer à Leptis. Ainsi, le port paraît intact sous des couches de boue séchée et il serait extrêmement intéressant de le reconstituer. De notre contribution, à nous qui aimons notre passé classique, dépendra le travail à venir.

Tripoli, 19 mai 1955.

En fiacre, d'un bout à l'autre de la ville, jusqu'au tétrapyle de Marc Aurèle. J'avais oublié à quel point la coupole est complète, dignes et nobles les prisonniers sur les bas-reliefs qui, d'ailleurs, se désintègrent vite. De là, nous sommes allés visiter les vieux quartiers. Ni dans les souks du Caire, ni dans ceux d'Alep ou de Damas, je n'ai ressenti cette impression d'exotisme oriental, d'éloignement de l'Occident. Un pittoresque à la Delacroix, à la Decamps – et autres orientalisants. Quelle sagesse, de la part des Italiens, d'avoir, en construisant la Tripoli moderne, laissé l'ancienne ville plus ou moins intacte. Aucune vélléité, comme à Florence, d'éliminer l'*antico squallore* pour la remplacer par la *vita moderna*. Pourtant, on manque d'air et l'on suffoque dans les souks qui sont sales et donnent envie aux Occidentaux de les aérer et de les nettoyer. L'Arabe tient ces conditions pour naturelles et indiscutables. Il leur donne son approbation inconsciente et les regretterait si on les lui ôtait.

Tripoli, 21 mai 1955.

Nouvelle lune, ce qui devrait signifier la fin du jeûne et un *tripudium* de festivités et de réjouissances. Mais non, on nous dit que les calculs que nous avons faits n'ont aucune valeur, et que si la nouvelle lune n'a pas été observée par ceux qui sont désignés pour la voir, le

Leptis Magna.

jeûne ne pourra être suspendu. Des amis, qui connaissent bien les pays du Proche-Orient, nous confient que dans aucun d'eux ils n'ont trouvé comme ici une observance méticuleuse du jeûne par la presque totalité de la population musulmane. Durant quatre semaines, on cesse tout travail susceptible d'être interrompu – celui des artisans, des maçons, des charpentiers – tandis que les travaux inévitables sont effectués dans un état de tension nerveuse et d'irritabilité peu supportable. Il est surprenant de voir que l'attitude laxiste des Egyptiens à l'égard des préceptes du Coran ne trouve pas ici d'adeptes, alors que tout ce qui provient du Caire, journaux, radio, cinéma et même l'heure (une heure d'avance sur Prague) y est parole d'Evangile.

Tripoli, 22 mai 1955.
On a vu la pleine lune, et le son des tambours et des fifres, le bruit des réjouissances parviennent même jusqu'à notre retraite. En me rendant en voiture au musée du Castello j'ai été amusé de constater combien l'atmosphère dans les rues avait changé, combien celles-ci étaient plus gaies et plus vivantes. Partout l'on voit des groupes de silhouettes pittoresques portant des toges d'une blancheur immaculée et chaussées de magnifiques chaussures neuves au cuir crissant, et des charrettes pleines d'hommes de tous âges que l'on conduit à la fête. Il semble qu'il existe un protocole complexe d'échange de vœux entre amis qui se rencontrent pour la première fois après le grand jeûne, libérés de la menace d'une calamité publique.

Vergara m'a fait visiter le Castello, un remarquable palimpseste de bâtiments anciens et plus récents, un labyrinthe de passages, d'escaliers, de terrasses, de cours intérieures paisibles, avec beaucoup d'espace pour les diverses collections, préhistoriques, ethnologiques, classiques, arabo-turques, toutes très bien exposées. Au rez-de-chaussée (dans l'attente d'un emplacement définitif), un groupe de bas-reliefs de la basse Antiquité, trouvés dans le "hinderland", offre un fascinant exemple de la désintégration de la forme. Pour la *bonne bouche*,* Vergara a choisi de me montrer une trouvaille récente, un petit ivoire très étrange représentant une figure accroupie dans une position rituelle, les jambes croisées et le bras droit replié sur le torse. Travail très fin. Doit être un

---

*En français dans le texte.

124.

Sabratha.

Dioscure devant la scène du théâtre antique,
Leptis Magna.

objet sacré, peut-être exécuté à Alexandrie vers 200 ap. J.C. pour un marchand hindou. Cela m'a rappelé la desciption par Melville de Queequeg, lorsque celui-ci entre en extase durant sa prière.

Tripoli, 24 mai 1955.

Belle randonnée automobile jusqu'à l'Oasis de Tagiura avec sa grandiose mosquée, d'une simplicité austère, l'une des plus anciennes, à ce que je crois, de la région. Sa forêt de colonnes antiques rappelle la cathédrale de Cordoue et les mosquées de Damas et de Kairouan. A l'extérieur, dans le village et les palmeraies, à la fois éloignement de l'Occident et proximité de l'Antiquité. Souvent, je me suis demandé comment les Romains portaient la toge. Ici, riches et pauvres la portent, qu'elle soit d'une blancheur éclatante ou d'un gris sale, neuve ou en lambeaux. Ils avancent à grandes enjambées, ne sachant pas combien ils nous paraissent antiques. Les vieillards se reposent, à demi-couchés sur des bancs de pierre, en attendant la prière du soir, aussi distingués et intimidants que les personnages de la "Transfiguration" de Bellini à Naples.

A bord de l'Argentina, 26 mai 1955.

De retour sur notre navire, reçus avec la plus grande cordialité et servis avec le plus grand soin. Temps moins favorable qu'au voyage aller. Un *ghibli* miniature tente de rassembler ses forces, rend l'atmosphère oppressante, et le ciel lourd est traversé de lueurs menaçantes. Il est intéressant cependant de goûter la vue de la ville et du front de mer dans cette lumière étrange, un peu lugubre, typique des pays du Bassin méditerranéen.En me remémorant ces trois semaines passées à Tripoli, je suis très reconnaissant d'avoir pu bénéficier de cette cure de repos dans un monde assez isolé et protégé pour donner le sentiment d'un complet détachement par rapport à la routine quotidienne du travail, des obligations et des soucis.

San Marco, Rossano Calabro.

CALABRE. JUIN 1955.

Gioia Tauro, 2 juin 1955.

Il y a vingt ans, en compagnie d'Alessandro d'Entrèves, qui enseignait à Messine à l'époque, c'est ici que j'ai pris le bac pour me rendre à Reggio.

Reggio ne m'avait pas plu alors : c'était une ville poussiéreuse, terne et sordide. Les œuvres d'art que j'étais venu voir étaient entassées dans un hangar où je n'avais guère pu les apprécier. D'ailleurs, aucune ne méritait qu'on s'y arrêtât.

Nous n'avions pa pu partir pour autant. Je ne me souviens plus pour quelle raison on nous emmena contre notre gré dans une maison où l'on nous offrit toutes sortes de fruits, de patisseries et de boissons au cours d'une espèce de banquet. Nous dûmes user de toute notre détermination, et être impolis même, pour nous soustraire à cette hospitalité suffocante, à temps pour attraper le bac qui retournait à Messine.

Cette fois, nous sommes venus passer la nuit, et la plus grande partie du lendemain, afin de visiter tout ce qu'il y a à voir.

Laissez-moi dire tout d'abord que Reggio m'a fait une bien meilleure impression. Un noble front de mer, agrémenté de jardins, de larges rues animées, qui montent, parallèles, vers de beaux monuments publics. Un sentiment de vie intense, comme à Catane de l'autre côté du détroit.

Il n'y a pas énormément à voir : le chateau angevin et le musée, où sont maintenant entreposées les découvertes faites récemment en Calabre. Le professeur De Franciscis, le Surintendant des Antiquités de la région, a pris la peine de faire ouvrir le musée pour moi, bien que ce soit jour de fête dans tout le pays, et il nous a guidé vers les objets susceptibles d'intéresser un amateur d'art -- plus qu'un archéologue professionnel. J'ai été frappé par la tête et les pieds de marbre et la perruque de bronze (unique de son genre, je crois) d'une statue du Ve siècle, peut-être due à un sculpteur local, Pythagore de Rhegium.

J'avoue avoir apprécié plus encore de petites tablettes de terre cuite, semblables aux panneaux des prédelles des retables italiens. Toutes étaient des ex-votos provenant d'un temple de Locri, dédié à Perséphone, et la plupart représentaient la scène de l'enlèvement de cette dernière par Hadès. Elles ne sont pas toutes de qualité égale, mais les meilleures ont la délicatesse de composition et de tracé des meilleurs bas-reliefs grcs des environs de 500 av. J.C.

Au moment de notre départ le Sovraintendente n'a pas manqué de pousser le cri de détresse que j'entends partout où je vais : on demande que les fouilles puissent continuer, dans le cas présent celles de Locri et des autres sites de Calabre. Mais l'état-providence, de nos jours, entreprend tant de projets que lorsqu'on en arrive à l'art, il devient comme le malade d'un certain âge à qui son médecin a conseillé de renoncer au vin, aux femmes et au chant, et qui répond qu'il commencera par supprimer le chant. Il y a un an ou deux, le British Museum lui-même n'a-t-il pas proposé de n'ouvrir qu'une moitié de ses salles, alternativement, un jour sur deux, afin d'économiser une somme infinitésimale, face aux dépenses engagées pour la Défense ou le bien-être matériel des citoyens !

Gioia Tauro, 3 juin 1955.
A l'exception d'une brève visite à Reggio il y a vingt ans, je n'étais pas retourné en Calabre depuis mai-juin 1908. Les routes, en ce temps-là, n'étaient guère plus que des pistes pleines de trous comblés de profondes poches de poussière. Auberges inénarrables, pas même des taudis néolithiques, nourriture à peine mangeable. Je me souviens de vains efforts pour mâcher et avaler une substance dure comme du

Cooke,
Le rivage près de Salerne,

cuir, du nom de *genovese*, dont l'odeur et le goût évoquaient un bélier antédiluvien ou un bouc d'âge vénérable. J'avais une certaine appréhension en revenant en Calabre. Cette fois, j'ai trouvé des routes aussi plaisantes qu'ailleurs, presque toujours goudronnées et souvent bordées de lauriers-roses, de géraniums ou de lavande. Elles serpentent, forment des lacets, montent et descendent des côtes, et l'on passe de cols très élevés à des vallées à basse altitude en plongeant de mille mètres en une demi-heure.

Les petits hôtels Jolly, successeurs de ceux que Balbo avait ouverts à Jeffren, Nalout et Rhadames en Tripolitaine, offrent tout le confort moderne, et sont à ce point uniformisés que si l'on a été dans l'un d'eux, on sait ce qu'on peut attendre des autres. Bien sûr, on ne peut éliminer les différences d'accueil et de gestion, ni les variantes que la situation géographique impose à chacun en matière de service et de nourriture. En général, le gérant est un Italien du Nord (là encore comme dans les hôtels de Balbo en Afrique du Nord) – souvent de Trieste. Dans l'un des hôtels, il était de Berne, et sa femme de Berlin. Que les personnels de la restauration et de l'hôtellerie sont ballottés ! Quand on revient après une saison ou deux, on retrouve rarement le même serveur, même dans les hôtels les plus luxueux. Encore plus soumis au désir de bouger et de voir de nouveaux horizons que le reste d'entre nous. Un vieux maître d'hôtel, au visage aussi jovial et ironique que le Guignol britannique, Punch, nous a avoué avoir servi sur les paquebots transatlantiques, dans des restaurants et hôtels londoniens, à New York, à Buenos Aires et à présent, *per mio castigo*, il se trouvait là, où nous avons eu le plaisir trop bref de le rencontrer.

Pour en revenir aux hôtels Jolly : leur haut niveau de confort à l'américaine et leur cuisine médiocre en comparaison m'ont rappelé ce que proclamait, il n'y a pas plus de vingt-cinq ans, le président d'un congrès d'hôteliers français : *"Nous ne rêvons pas d'imiter les améliorations scatologiques des Anglo-Saxons mais nous insistons sur la bonne chère à laquelle nous autres Français sommes habitués"**. Ce président-là n'approuverait guère la nourriture américaine et je ne pourrais qu'être d'accord avec lui. Cela est dû, en partie du moins, au fait que le nombre de prothèses dentaires aux Etats-Unis est le plus élevé du monde, et mon expérience m'a appris qu'avec les dents que la nature nous a fournies disparaît le plaisir intelligent de la bonne chère. Un prédicateur américain, cham-

---

*En français dans le texte.

Bas-relief provenant de Locri,
Musée de Reggio.

pion de l'alimentation saine, ne commence-t-il pas ses discours ainsi : "Puisque vous mangez n'importe quoi, vous pourriez au moins ingurgiter des choses qui ne vous font pas de mal" ?

Cosenza, 4 juin 1955.

Je n'ai préparé ce voyage en Calabre par aucune lecture. Mais ma mémoire a emmagasiné de nombreux faits historiques et des impressions de voyage, glânés dans des lectures anciennes. Par exemple, celle du révérend Tate Ramage, qui s'est promené dans ces contrées au début du XIXᵉ siècle, en été, portant un grand parasol, des pantalons de nankin blanc et une redingote dont les larges poches contenaient tout son bagage. Ou Lenormant, chargé du trésor de toute l'information disponible sur chaque recoin de la Calabre et de l'Apulie. Ou encore Edward Lear, le peintre anglais qui accompagnait ses lithographies de paysages d'annotations très fines sur les effets de couleurs, les coutumes, les auberges et les gens. Il y a aussi Gregorovius et J.A. Symonds. Et, surtout, l'*Old Calabria* de Norman Douglas, aujourd'hui un classique en Angleterre, que j'ai lu et relu, de même qu'*A travers l'Apulie et la Lucanie*, de Lenormant.[8]. Je n'ai retenu aucune date, aucun nom précis, mais ma mémoire entraîne à sa suite, pour ainsi dire, un ensemble de tapisseries, fanées mais captivantes, d'associations historiques, digérées, assimilées, intégrées comme ne pourrait jamais l'être aucune lecture récente.

Tandis que nous remontions vers le nord, tel ou tel épisode me revenait, ou tel nom associé à la colonisation grecque de la Calabre, puis le souvenir de hordes germaniques, en route vers l'Afrique, et finalement l'invasion normande – contemporaine de la conquête normande de l'Angleterre – qui donna lieu à toute une série de luttes intestines entre les descendants turbulents de Tancrède de Hauteville, tous habités par la passion du pouvoir et du luxe, jusqu'au triomphe de Roger, le conquérant de la Sicile.

En traversant Mileto, je me suis souvenu que pendant quelques années elle fut l'égale, en politique, de Londres ou de Paris : ses églises, ses palais, ses trésors devaient compter parmi ce qu'on faisait alors de mieux. Tout a disparu à la suite de séismes qui ont déchiré la terre et tout englouti.

Duclère,
La Baie de Salerne.

Souvent je me demande quelles fouilles, si jamais il y en a d'entreprises, ramèneront au jour de merveilleux trésors enfouis. Des colonnes de porphyre, des chapiteaux en coup de vent ou en forme de paniers, des marbres de toutes les couleurs et de toutes les sortes, des mosaïques – bref, le meilleur de ce que l'art byzantin de l'époque pouvait produire, supérieur sans doute à ce qu'il en reste à Palerme et dans ses environs.

Je me souviens comment, en 1908, traversant le misérable village auquel était réduit Mileto à l'époque, nous avons appris ce qui venait de s'y passer : un prêtre avait été empoisonné en buvant au calice, ou poignardé au moment de l'élévation.

A Cosenza, où un pont trop moderne, le Ponte Alarico, enjambe le Busento, j'ai été ému aux larmes en me rappelant les vers délicieusement évocateurs de Platen sur les funérailles d'Alaric au fond de la rivière. Carducci les a merveilleusement traduits, mais la musique d'une langue ne peut être reproduite dans une autre.

Cosenza, 5 juin 1955.

Cependant, laissez-moi revenir au point de départ, à Reggio où, signalons-le, nous étions confortablement logés et bien nourris dans un hôtel en rénovation, qui ne faisait pas partie de la chaîne Jolly, sur le front de mer. Nous avons longé la côte en automobile, aussi belle que la riviéra ligure ou la Côte d'Azur, mais pas urbanisée, ni enlaidie par les papiers gras et les paquets de cigarettes vides, ni surpeuplée, ni infestée de placards publicitaires comme le sont si souvent les routes de bord de mer, de Marseille à Livourne.

Nous avons décidé de faire notre premier arrêt à Gioia Tauro parce qu'il y a un hôtel Jolly, mais également pour pouvoir aller à Gerace le lendemain. En quittant Gioia Tauro, on traverse des forêts d'oliviers aussi grands et majestueux que des ormes. Avec l'altitude, ils sont remplacés par les châtaigniers, puis par les chênes verts, et enfin par les hêtres. Arrivé à presque mille mètres, on traverse un plateau recouvert de hautes fougères, après quoi on commence à redescendre, vers un monde très différent du monde tyrrhénien. Peu d'arbres, des rochers rougeâtres ou d'un blanc grisâtre, aux formes hardies, et peu de terre arable. Par temps clair, la vue de la côte vers Crotone et la Sicile en face doit être fantastique, mais un sirocco violent, quand nous sommes passés, recouvrait tout de brume. Seules les premières hauteurs de l'Aspromonte étaient visibles.

Je conservais précieusement dans ma mémoire la vision de Gerace par un matin doré de mai 1908. La ville encore animée, la cathédrale lumineuse, avec sa procession d'élégantes colonnes ioniennes le long de la nef spacieuse. L'église est maintenant lugubre et poussiéreuse – on est en train de la restaurer – et la ville est abandonnée. Même l'évêque a été transféré à Locri, qui prend de l'importance, sur la côte, plus bas. Exemple manifeste du jeu de la navette sur le métier à tisser du temps. La perte de leur prospérité, le désintérêt pour un travail qui cessait d'être rémunérateur, puis la malaria et les pirates poussèrent les habitants des côtes à se réfugier sur les hauteurs. Maintenant que la côte bénéficie de nouvelles conditions de salubrité, et d'une nouvelle prospérité, c'est au tour des hauteurs d'être délaissées. Il est à prévoir que dans deux ou trois décennies Gerace sera aussi déserte que la charmante bourgade d'Evenos au-dessus de Toulon.

Mais une fois que la restauration de la cathédrale aura été effectuée, ce sera l'un des rares sites d'Italie à être sans doute encore plus beaux en raison de leur désaffection.

Cosenza, 6 juin 1955.

Jour de marché à Nicastro, où nous avons déjeuné, sur notre chemin de Gioia à Cosenza. D'innombrables paysannes vendaient et achetaient, vêtues du costume traditionnel. Ample jupe noire plissée, soulevée au-dessus d'un jupon rouge et retenue par un large nœud à l'arrière, formant ainsi une espèce de "panier". Ce peut être une mode du XVIIIe siècle encore en vigueur dans ce coin retiré. La démarche majestueuse de ces femmes est magnifiquement soulignée par le mouvement du panier.

Après une course à travers un paysage montagneux aussi beau qu'un parc, et une descente splendide dans la large vallée du Crati, soudain une ville lancée dans une orgie de festivités. Guirlandes électriques aux arcades, foules si denses que l'automobile devait se frayer un chemin à travers elles en les poussant de son groin, baraques foraines vendant toutes sortes de marchandises et de babioles. Le lendemain soir, presque jusqu'à minuit, les feux d'artifice tonnèrent, pétaradèrent, explosèrent, magnifiques tandis qu'ils semaient des joyaux

T.C. Hoffland,
Paysage classique près de Naples.

de toutes les couleurs en forme de poire. Cela doit coûter des millions de lires, aisément collectés, nous a-t-on dit, parmi les concitoyens. Sans doute une bonne partie est-elle récupérée au cours de la fête qui, pendant plusieurs jours, attire toute les campagnes des environs. Les rues sont pleines de jeunes gens sains et charmants, beaux même, et qui s'en donnent à cœur joie, dans ce climat de rêve.

Le prétexte de tout cela, La Fête de Saint François, de la ville voisine de Paule.

Il y a des années de cela, le jeune Lacaita, le fils anglais du banni du Risorgimento, Sir James Lacaita, qui avait une propriété près de Tarente, au nom délicieusement grec de Leucaspide, nous raconte comment il avait assisté une fois à la fête du saint à Paule même. Il avait entendu des cris de "Qui est le vrai Saint François? Est-ce Saint François de Sales? Non! Est-ce Saint François Saverio? Absolument pas! Est ce n'est surtout pas cet imposteur, ce simulateur, ce fripon de François d'Assise! Le seul véritable Saint François est notre Saint François, Saint François de Paule!".

Le vieux Cosenza est une ville noble dont la rue principale est bordée de palais majestueux. C'est dans l'un d'eux qu'est né, comme nous le fit remarquer notre cher ami le comte Tancredo Tancredi, l'humaniste de la Renaissance Bernardino Telesio. Dans la cathédrale, la tombe de marbre d'Isabelle d'Aragon (morte en 1270), avec ses personnages agenouillés, n'est ni toscane, ni même française, mais est digne des deux écoles. Dans l'évêché, une croix byzantine est censée avoir été rapportée par Frédéric *Stupor Mundi* de sa croisade en Palestine. Merveilleux travail de l'émail, mais le trait n'est pas d'une aussi bonne qualité. Peut-être exécutée à Constantinople, peu après le sac de cette cité en 1204, lorsque les plus grands artistes ont pris la fuite.

L'après-midi, nos amis nous ont emmenés jusqu'au Monte Scuro, le col d'où l'on voit le haut plateau du Sila, avec ses forêts et ses grands lacs vert pistache et, au-delà, le profil hardi de la chaîne de montagnes qui le sépare de la Mer ionienne. Cela m'a rappelé le fascinant paysage imaginaire de l'Assomption de Matteo di Giovanni, de Sienne, aujourd'hui à la National Gallery de Londres. Comme ce souvenir m'a aidé à ressentir la qualité particulière de ce que j'avais sous les yeux, et comme le souvenir du paysage accroîtra le prix du tableau pour moi lorsque je le verrai!

Castrovillari, 7 juin 1955.

En quittant Cosenza, nous avons fait le détour par Altomonte Calabro avant de rejoindre Castrovillari. Campagne aussi vide qu'en France, mais incomparablement plus belle et romantique. Des sommets pointus aux formes presque pyramidales, et des plaines qui, il y a des millénaires, devaient être des lacs. Pratiquement pas de fermes, et peu de villages. Toutes les routes, même les routes secondaires, en excellent état : indications très précises à chaque embranchement. J'en ai éprouvé de l'envie, parce que, hormis quelques routes principales goudronnées, près de chez moi à Florence, celles que j'emprunte sont presque toujours en mauvais état, et si poussiéreuse, que, lorsqu'on suit un autre véhicule, conduire devient très désagréable, voire exaspérant. Si seulement nous étions dotés d'une Cassa della Toscana afin de remédier à cela et à beaucoup d'autres choses !

Enfin Altomonte apparaît, véritable nid d'aigle, perché très haut au-dessus de ravins à pic. Couronnée par un palais qui semble une tour et rappelle le Palazzo Tolomei de Sienne. L'église, elle aussi, est un écho modeste, oh combien modeste ! de Santa Chiara, à Naples. Derrière le grand autel, un beau monument funéraire, celui de Filippo Sangineto, comte d'Altomonte, par un disciple de Tino di Camaino. Au-dessus d'un des portails extérieurs, une Vierge, dans le style italo-français de celle d'Isabelle d'Aragon dans la cathédrale de Cosenza.

Castrovillard, 8 juin 1955.

Castrovillari, guère plus beau qu'en 1908, mais bien plus propre et qui, grâce à son hôtel Jolly, est devenu un excellent centre d'excursion. Quelle différence avec la chambre exécrable dont je dus me satisfaire en 1908 ! Le lendemain, avons traversé Spezzano Albanese, mais n'avons vu aucun costume albanais ; puis Terranova di Sibari, avec le splendide panorama du grand cirque de montagnes qui encercle la vallée du Crati ; contournant Corigliano Calabra, nous sommes ensuites parvenus à Rossano. Un bourg élégant dominant la Mer ionienne, plein de vestiges byzantins, dont aucun cependant ne présente d'intérêt pour un dilettante comme moi, exceptée la délicieuse petite église de San Marco qui couronne tous les autres monuments. C'est le genre d'édifice cruciforme, surmonté d'un dôme, qu'on rencontre par-

Chiesa Madre,
Altomonte Calabro.

tout dans le monde chrétien orthodoxe, de Vladimir et Suzdal en Russie centrale, jusqu'à Tarrasa en Catalogne, et à San Donato à Zara.

Le trésor que possède Rossano, et que j'ai attendu de voir pendant des années, le *Codex Purpureus Rossanensis*, j'ai pu l'admirer à la grande exposition de manuscrits italiens enluminés, qui s'est tenue à Rome en 1953-54; c'est pourquoi je n'ai même pas essayé cette fois-ci de me procurer l'un des permis, si difficiles à obtenir, qui permettent d'y accéder, dans l'évêché.

Une auberge avec au moins une chambre spacieuse, propre et confortable, pour mon indispensable sieste, et une *trattoria* tenue par un ancien marin qui avait été prisonnier en Angleterre et n'avait gardé nulle rancune de la façon dont on l'y avait traité. Nous luis avons demandé si la rumeur selon laquelle les Anglaises avaient tant apprécié la compagnie des prisonniers italiens était vraie et, avec un large sourire, il nous a répondu: "Qualchecosa di vero ci potrebbe essere". J'ai aimé la cordiale familiarité des convives entre eux, et cette amabilité envers l'étranger de passage, qu'on rencontre comme nulle part ailleurs dans les restaurants populaires d'Italie.

Durant l'après-midi, par une route escarpée toute en lacets, et sans parapets, à travers une *macchia* solitaire de chênes verts, de genêts, de myrtes, de lentisques et de lauriers, jusqu'au monastère basilien de Patirion, qui n'est plus un asile de prière et de méditation mais un office du Département des Forêts. Seule subsiste l'église, avec un chœur à l'architecture entièrement siculo-arabe, décoré de losanges de deux couleurs – caramel et chocolat. L'intérieur, plutôt à l'abandon, a un pavement de mosaïque, délâbré maintenant, mais à l'origine peut-être aussi beau que celui de la cathédrale d'Otrante.

Panorama sur les caps, vers Crotone et la côte de Sybaris jusqu'à la chaîne de Pollino et d'autres hauteurs au-delà. Par temps clair, j'imagine qu'on voit même la côte sicilienne. Pendant notre excursion, une brume estivale a constamment voilé les horizons lointains.

J'ai eu peur lors de la descente: d'un côté, le flanc du mont, de l'autre, un précipice de quelques centaines de mètres vers la vallée plus bas. J'avoue avoir été soulagé quand nous sommes parvenus à l'autoroute et avons pu rentrer à grande vitesse à Castrovillari.

En repassant sous Corigliano, très haut perché, nous avons dû ralentir car la route était envahie par des gens, les plus âgés sur des ânes, les plus jeunes à bicyclette, à motocyclette ou sur des *lambrette*. Près de là se trouvait un énorme panneau annonçant que les champs que nous traversions avait été réformés, c'est-à-dire distribués – j'oublie si l'on disait aux *contadini* ou aux *agricoltori*. En me retournant vers Corigliano, j'ai vu deux ou trois de ces immenses bâtiments, hauts et menaçants, qui venaient d'être édifiés pour abriter les bénéficiaires de la réforme agraire.

Je ne suis ni socilogogue ni philanthrope, et je ne m'occupe ni de politique, ni d'économie. Mais ayant parcouru la presque totalité de cet enfant à problème qu'est le Mezzogiorno pour l'Italie moderne, je m'aventurerai à dire que le vrai Mezzogiorno, soit l'Italie au sud de Salerne et de Lucera, souffre davantage du paysan absentéiste que du propriétaire absentéiste. Il est vrai que ce dernier dépense tout le maigre revenu de ses vastes terres à Naples, à Rome, voire à Monte Carlo et à Paris. Mais tout changerait s'il existait une paysannerie, c'est-à-dire des gens qui, génération après génération, vivent sur un lopin de terre, le travaillent, l'aiment, le préfèrent à tout endroit au monde, comme Horace préférait Tarente. En Toscane, il n'est pas rare de voir des *poderi* qu'une même famille exploite depuis plus de deux siècles. Il y a relativement peu de vrais *contadini* dans le Mezzogiorno. Il y a surtout des ouvriers agricoles qui parcouraient naguère des kilomètres jusqu'à un lopin de terre qui leur était attribué temporairement, et qui retournaient le soir dans d'immenses bidonvilles où ils se sentaient chez eux. Chez eux dans des conditions néolithiques, inimaginables pour ceux qui jugent indispensable un confort à l'américaine : mais ces gens n'appréciaient-ils pas la vie, la vraie vie, peut-être mieux que nous ne le pouvons ?

A l'heure actuelle, on n'implante pas davantage les ouvriers agricoles sur la terre. Durant ce voyage, j'ai vu assez peu de maisons individuelles en construction par rapport au nombre de ces nouveaux, et gigantesques, barraquements, qui procurent aux ouvriers agricoles des bidonvilles verticaux, plutôt qu'horizontaux.

Même si l'on tente d'implanter l'ouvrier agricole sur une terre (je sais qu'on le fait dans de nombreuses régions et j'ai vu des maisons individuelles propres, et à l'aspect accueillant, surtout en Apulie) il lui faudra deux ou trois générations avant qu'il ne devienne paysan. Jusque là, il se sentira dépossédé de ses habitudes, de ses compagnons, des enthousiasmes, des peines, des joies partagées, de tout ce qui faisait que substituer ressemblait à vivre. Il sera malheureux, contrarié, éprouvera du ressentiment envers un gouvernement qui a les meilleures intentions du monde, et il sera prêt à voter contre lui, sans qu'il soit besoin d'agitateurs pro-soviétiques.

Santa Maria del Patirion,
Rossano Calabro.

Praia a Mare, 9 juin 1955.

En parvenant à Mormanno, après la magnifique escalade depuis Castrovillari, avec la vue sur la sombre chaîne pyramidale du Pollino à notre droite, soudain l'automobile n'a plus voulu avancer. Heureusement il y avait un garage tout près et, après moins d'un quart d'heure, nous avons pu repartir. Il y avait si longtemps que je n'avais pas eu d'ennui mécanique en automobile, que je ne me suis pas souvenu de la dernière fois où cela m'était arrivé. Je suis retourné presque cinquante ans en arrière, à l'époque où je ne montais jamais dans une automobile sans un horaire des chemins de fer, au cas où j'aurais dû revenir en train. Les mécaniciens étaient de peu de secours si on les tenait pour des domestiques et non pour des sportifs qui condescendaient à vous servir ; et ils n'étaient pas souvent en état de conduire parce qu'ils avaient passé la nuit à boire ou à courir les femmes. Puis il fallait de quarante à cinquante minutes pour allumer les lampes à acétylène. Et les routes ! Même les grands axes, de Turin à Udine, étaient susceptibles, à partir d'octobre, de se transformer en marais de boue et de neige fondue.

Merveilleuse descente vers la côte par une autre route abrupte taillée dans le roc et serpentant le long d'un défilé étroit. A Scalea nous avons rejoint le nouvel autoroute qui longe la mer et peu après nous sommes arrivés à l'hôtel Jolly de Praia a Mare, une petite station balnéaire prospère, située en face d'une île homérique et possédant une vue exquise sur les hauteurs qui entourent le Golfe de Policastro. Bon endroit pour une journée entière de repos, passée à profiter de l'air marin et à admirer un spectaculaire coucher de soleil à l'abri de rochers fabuleusement romantiques.

Naples, 11 juin 1955.

Notre prochain arrêt, pour le déjeuner, Vallo di Lucania, pas très joli, peut-être à cause d'un temps pluvieux. Une bonne *trattoria* mais pas d'hôtel sur place ; nous avons été envoyés à une "auberge" qui avait l'air d'un palais délabré datant de l'époque où l'aristocratie de province résidait sur place. On m'a procuré une chambre, nue mais propre, pour ma sieste, mais j'ai dû présenter mon passeport avant de m'y installer. Je me demande ce qu'ils y ont compris ! La *trattoria* résonnait des cris joyeux des enfants du cuisinier-propriétaire. Une vraie scène de *bottegone*, que Velasquez et les romans picaresques m'ont appris à aimer.

147.

Nous avons ensuite traversé de magnifiques châtaigneraies ; à chaque bifurcation vers le cap Palinure, et Velia, nous regrettions de ne pas l'emprunter. Mais à mon âge, ma devise doit être "Entbehren sollst Du, Du sollst entbehren", car il me faut renoncer à beaucoup de choses pour garder quelque force. J'aurais volontiers revu Velia, l'Elée de l'école de philosophie, à laquelle elle offrait une situation enviable.

Soudain, bien au-dessous de nous, la mer scintillante... et que purent voir mes yeux ? Plus romantiques qu'un premier coup d'œil sur Ségeste en venant du nord,... les temples de Paestum. L'une des visions les plus magiques, les plus prometteuses que je connaisse. Mais en approchant, je fus désolé de m'apercevoir que le périmètre des temples était clôturé par des barbelés et, au lieu du sentiment éprouvé jusque-là d'un éloignement dans le temps, je fus confronté à des tas d'automobiles et des hordes de touristes qui en descendaient.

Le nouveau musée abrite peu de découvertes faites à Paestum même, mais tout ce qui a été trouvé autour de l'Héraïon de Foce del Sele.

Il me semble très regrettable, d'une certaine façon, de ne pas laisser les découvertes dans ce pré délicieux près de la rivière, avec ses berges ombragées et les branches d'immenses et vénérables chênes-liège qui trempent dans le courant verdâtre. Les pionniers grecs, habitués à la sécheresse, durent voir en cet endroit un paradis. Il y a longtemps, lorsque Zanotti Bianco m'a gentiment invité à venir voir ce dont, après avoir lu quelques lignes de Strabon, il avait eu l'idée, puisqu'il avait eu le courage et l'obstination de mener à bien cette clairière non loin de l'embouchure de la rivière fut pour moi comme le lieu où Ulysse posa pied à terre quand il entendit Calypso, à son métier, qui chantait.

A cette époque les métopes archaïques étaient encore éparpillées, au grand jour, ou sous des abris, et l'amateur fervent les découvrait et les appréciait à sa guise sans être bousculé par les touristes ennuyés et fatigués. Peut-être aurait-il mieux valu reconstituer un temple dorique comme l'Héraïon l'était jadis pour y abriter les découvertes, plutôt que de choisir la solution adoptée. Les métopes auraient retrouvé leur place d'origine, et les divers objets auraient pu être exposés à l'intérieur. Mais peut-être est-il inévitable que la poésie se dégrade en archéologie ?

Mon désir de revoir la Calabre, si longtemps entretenu, s'est enfin réalisé, même si des sites où je voulais retourner, tels Stilo et Crotone, ont dû être éliminés de mon programme. Quoique moins riche en monuments et en œuvres d'art que d'autres régions de l'Italie, c'est une des plus belles, dans sa pureté classique et ses vastes horizons vierges. C'est l'une de celles que l'on visite le plus agréablement et où l'on s'attarderait même volontiers.

LA ROMAGNE, SEPTEMBRE 1955.

Ravenne, 18 septembre 1955.

Avons quitté Vallombrosa hier pour venir ici. Temps splendide mais air vif, ciel pur, paysage tel une enluminure cosmique. De Pontassieve à Dicomano, presque une seule banlieue, gaie et prospère. Grosse circulation sur la route de Muraglione. Les villes, depuis huit ans que nous ne sommes pas venus ici, ont vu leurs faubourgs s'étendre et leur activité s'amplifier tellement, qu'elles sont à peine reconnaissables. A nouveau je pose la question suivante : Italie, où est donc ta si fameuse pauvreté ? Les jeux d'ombre et de lumière sont renversants en Italie, sauf au gros de l'été. Je vois de vieux palais chauffés par le soleil, mais je sais, par expérience, combien ils peuvent être tristes et glacés à l'intérieur, là où le soleil ne pénètre pas. En irait-il de même avec l'économie italienne ? Derrière la presse, l'effervescence marchande, les magasins, les cafés et les restaurants bondés, il y aurait une zone ombrageuse – ombreuse non au sens moral, mais économique – connue seulement des économistes et des philantropes ?

153

Sant' Appolinare in Classe,
Ravenne.

Mosaïque de la Transfiguration,
Abside de Sant'Appolinare in Classe, Ravenne.

Ravenne, 19 septembre 1955.

Le genre, l'époque, l'école m'absorbaient tant jadis que l'œuvre elle-même perdait toute spécificité dans mon affection. Je savais tout, mais sur quoi, sur *elle*? Non, sur le style, chrétien primitif, byzantin, roman, gothique. Je me jetais à corps perdu dans l'un ou l'autre, et vivai pleinement les uns après les autres. Mais elle, l'œuvre d'art individuelle, était une aiguille dans une botte de foin. Je ne cherchais d'ailleurs pas à savoir si, hors du contexte, il existait une entité individuelle. A présent, ici à Ravenne, par exemple, je m'aperçois que j'ai oublié la majeure partie de ce qui constitue le contexte, qui s'est fait vague et imprécis, se réduisant à une simple atmosphère. Le résultat est que seuls les objets pourvus d'une *individualité*, d'une qualité intrinsèque, s'imposent maintenant. C'est ainsi qu'hier, j'ai été saisi par l'espace de San Vitale, les mosaïques de Galla Placida, la nef et les sarcophages de Sant' Apollinare in Classe, la construction sévère et précise de la tombe de Théodoric, son sarcophage de porphyre : autant de beautés à l'état pur. Et pourtant je n'ai pas oublié ce qui fait la majeure part du *contexte*, la perspective et les distances temporelles. Sans elles je serais comme tant d'artistes actuels qui ne jugent une chose que par ce qui les attire en elle, exclusivement ce qui plaît à leurs caprices et leur rappelle leurs problèmes : ils sont incapables de prendre en compte la maladresse, la rudesse mais, en même temps, la naïveté et la candeur de l'immaturité. J'ai oublié des faits, des noms, presque tout ce qui constitue le *contexte*, presque tout, sauf la perspective et le déroulement temporels, qui forment la base de toute notion de culture. Une personne instruite place tout dans une perspective temporelle. Elle garde toujours cette dernière à l'esprit, parce qu'elle affecte non seulement les œuvres d'art mais aussi chaque événement de la vie courante.

Et qu'est-ce que l'histoire sinon *le temps retrouvé**? C'est l'autobiographie de la race humaine entière et, pour nous, Européens, de la nôtre en particulier. Tout ce qui a mené jusqu'à nous depuis que l'homme est humain. Les événements qui n'ont pas affecté notre croissance ni suscité d'autres événements significatifs relèvent de la simple chronique, par opposition à l'histoire. Même la chronique est loin d'enregistrer la totalité des événements. La plupart d'entre eux n'est pas rapportée, même par la presse quotidienne, voire par les bulletins d'information donnés toutes les heures. De ce fait l'histoire ne peut

---

*En français dans le texte.

prétendre enregistrer les moindres détails du passé. Elle peut essayer de supposer, et les meilleures suppositions s'appuient sur l'intuition, sur l'imagination de l'historien, sur la perspective qu'il confère aux événements qui s'imposent d'eux-mêmes et qu'il choisit subrepticement comme représentatifs d'une période donnée. L'histoire véritable, à l'opposé de la simple chronique, ne peut s'empêcher d'être épique, de tendre vers l'épopée, bonne ou mauvaise. Mieux que les généralisations pseudo-philosophiques et prétentieuses, une anecdote significative évoque le passé et définit les individus qui l'ont influencé et formé. L'histoire ne progresse pas inexorablement, sans égards pour l'humanité. Au contraire, elle se compose de l'histoire de croyances, de passions, de folies et d'héroïsmes individuels confrontés à un univers qui nous ignore et poursuit son propre chemin. C'est un grand chapitre de l'histoire que le récit de la façon dont l'homme a soumis le monde extérieur à ses besoins, à ses plaisirs, à ses idéaux : tout grand combat pour maîtriser la nature, pour l'exploiter en dépit de sa complète indifférence. De même tout ce qui a contribué à nous humaniser, à nous donner le contrôle de nos passions, et à nous faire connaître la compassion. L'histoire de l'art aussi, lorsqu'elle est bien comprise, ne relate pas de simples faits concernant les artistes et leurs créations.

Ravenne, 20 septembre 1955.
En juin 1889, quand je vins ici pour la première fois, Ravenne semblait tombée au fond du gouffre du temps : il y régnait un silence de mort. Les pas y faisaient des échos. A présent, la circulation y est infernale, les bicyclettes forment des files ininterrompues le long des routes, toutes sortes de véhicules motorisés vont et viennent, des gens vigoureux avancent en flots remuants et des policiers règlent la circulation à l'ombre d'imposants immeubles de bureaux qui sont une insulte à l'environnement.

De même à Rimini où nous ne nous étions pas rendus depuis 1947. J'y étais allé alors dans le but de me rendre compte moi-même des dommages causés par les bombes au Temple de Malatesta. Le Surintendant des Beaux Arts était venu de Ravenne et nous avions inspecté ensemble le bâtiment, dont le mur droit, portant à faux, inclinait dangereusement. Il m'avait expliqué que le seul moyen de le sauver serait de le démonter pierre à pierre, de numéroter chacune d'entre elles, et de le reconstruire ensuite. Il avait paru effrayé par l'énormité de l'entreprise et peu enclin à la diriger. Comme nous regardions la façade, une délégation était arrivée, conduite par l'évêque et le maire de la ville qui, sachant que j'avais obtenu 50.000 dollars de la fondation Kress pour la restauration du Temple, désirait obtenir mon appui pour que celle-ci ne soit pas effectuée. Ils avaient fait valoir que la communauté était impatiente de suivre la messe dans sa cathédrale, qu'une restauration aussi radicale pourrait altérer le caractère du temple bien-aimé, et que les blocs de marbre, démontés un à un, pourraient s'effriter en fin de compte. J'avais eu la nette impression qu'ils avaient envie de dépenser l'argent à d'autres fins, et il m'avait été difficile de ne pas perdre mon sang-froid. Heureusement la Direzione Generale à Rome ne prêta aucune attention à ces doléances ni à ces hésitations, et fit exécuter la tâche de manière magistrale. J'ai été heureux de la voir terminée et de trouver la fresque de Sigismondo Malatesta par Piero della Francesca bien située et bien éclairée dans une chapelle qui lui est réservée.

Ferrare, 21 septembre 1955.

Ai passé une heure au Palazzo dei Diamanti et ai trouvé la galerie de peintures triste et abandonnée, les tableaux étant, à de rares exceptions près, décevants. Ils perdirent leur splendeur pour moi dès que j'eus perdu l'envie de les classifier. De tout le temps que j'ai été là, je n'ai vu qu'un seul autre visiteur. Dans la magnifique cour, quelques fragments et sarcophages de la basse Antiquité ont attiré mon attention. Dans un coin j'ai découvert un panneau : "Museo Boldini", un des joyaux de Ferrare. Que serait-il arrivé à Boldini s'il était resté ici au lieu d'aller à Paris ? Ai obtenu d'un gardien qu'il ouvre deux ou trois salles spacieuses où sont exposés quelques eaux-fortes, plusieurs esquisses de portraits et des tableaux peu représentatifs, sa palette, etc., ainsi que le mobilier Empire de sa chambre à coucher. Je le connaissais bien. Personnalité déplaisante, maniérée, il avait toujours l'air d'avoir un mauvais goût dans la bouche. En tant que peintre, ultra-chic, particulièrement dans ses portraits de femmes de la société, filiforme et peintes, dirait-on, avec un verre translucide, très séduisantes, dotées même d'un certain piquant.

Temple de Malatestà, Rimini.

Ferrare, 22 septembre 1955.

N'ai pu résister à la tentation de retourner à Pomposa. Son campanile monumental s'élevait mystérieusement tout comme autrefois, au-dessus de la plaine fertile, avec ses longues allées de peupliers, lorsque je m'en suis approché dans un landeau pesant, par une chaude journée d'été, il y a plusieurs dizaines d'années. Mais en approchant cette fois-ci, j'ai vu que les choses avaient changé même ici. La nouvelle route de Venise à Ravenne passe tout près et un groupe de touristes s'enfournait dans un autocar quand nous sommes arrivés. Ce n'est plus le même havre, oublié du monde et magique, d'autrefois et cependant, tandis que les ombres s'allongeaient et que les bâtiments et la tour rougeoyaient au soleil couchant, j'ai pu retrouver un peu de la magie d'alors.

FLORENCE. JUIN-JUILLET 1956.

Au lieu d'aller visiter de lointains pays durant les premiers mois de l'été comme je le faisais depuis des années, je suis resté à Florence et ai consacré le peu d'énergie qui me reste à refaire connaissance avec les inépuisables trésors artistiques de Florence, et à découvrir quelles relations j'entretiens aujourd'hui avec eux.

Il m'a fallu d'abord revoir les Offices ; heureusement, Filippo Rossi, le Surintendant des Beaux-Arts, m'a accordé le droit d'entrer les jours de fermeture au public, et je les ai donc eus à moi seul. Privilège dont je suis très reconnaissant.

Ai trouvé la première partie complètement théâtralisée. On a recherché la sensation, l'aguichant. Les inventeurs de ce genre de mise en scène tapageuse jugent-ils les œuvres d'art exposées incapables de solliciter l'attention grâce à leurs seules qualités ? Les meilleures d'entre elles ne parlent pas avec l'orage, le tonnerre ou les éclairs, mais d'une voix calme et menue. Il est possible qu'il faille un Elie pour l'entendre, or, Dieu sait si les touristes, dont on "péritonise" les convois pénitentiaires à travers les boyaux et les salles du musée, sont loin d'être des Elie ; et quand bien même ils le seraient, d'ailleurs, ils n'auraient guère la disponibilité d'esprit nécessaire, ni même, au milieu de la cohue, et les hurlements des guides, la possibilité de voir et de ressentir. A l'heure actuelle, on fait tout pour leur faire parcourir le musée au plus vite, et rien pour les éduquer ni les éclairer de quelque manière que ce soit.

163.

Au Pitti, où le conservateur, Anna Maria Ciaranfi, me reçoit avec la plus grande courtoisie le jour de *chiusura*, et me laisse me promener *à la recherche du temps perdu*.*Toutefois, à la différence des vieux amis que rencontre Proust, visages et expressions sont ici les mêmes que ceux que j'ai vus, il y a presque soixante-dix ans, pour la première fois. Certains de mes amis se plaignent de la "vétusté" de l'aménagement du Musée du Pitti. Il est à mes yeux tout à fait satisfaisant. Ses joyaux, ses véritables chefs-d'œuvre, sont bien mis en valeur sur un fond de tableaux moins importants. L'effet est celui d'une collection assemblée par des amoureux de la peinture et non par des marchands ou des montreurs de curiosités. Il est tout à l'honneur de l'Administration Florentine des Beaux-Arts d'avoir respecté l'ancienne disposition, qui est en soi un monument historique dédié au bon goût.

Accompagné par Ugo Procacci dans une sorte de grand atelier près de la grotte de Buontalenti dans les Jardins de Boboli, où diverses fresques importantes que l'on a détachées sont en train d'être très habilement nettoyées et restaurées. Surtout le "Déluge" et l'"Ivresse de Noé" de Paolo Uccello, qui proviennent du Cloître Vert. Dans les deux cas, mais particulièrement dans le "Déluge", la composition entière, avec ses étonnants effets de perspective, est à présent clairement visible. Il est pourtant triste qu'elles ne puissent retourner à leur emplacement d'origine. Stupéfiante, la série d'épisodes de la Vie de Saint Benoît, autrefois dans le Chiostro degli Aranci à la Badia. Procacci m'assure qu'il doit exister dans les archives florentines des documents révélant le nom et les dates de l'artiste ; s'il était moins pris par le temps il les trouverait. Soit, mais cela ne nous apprendrait pas grand-chose. On connaît bien le groupe auquel ces fresques appartiennent : il s'organise autour de la charmante "Nativité" qui était jadis au Castello. Le Maître de la "Nativité" du Castello, ainsi que je l'appelle, a dû être un proche disciple de Fra Angelico, influencé plus tard par Fra Filippo Lippi et par le fils de Filippo, Filippino.

---

* En français dans le texte.

Paolo Ucello,
La Genèse,
Santa Maria Novella, Florence.

En me retournant, j'ai remarqué un tas de ce qui m'a semblé être des tapis, ou des tapisseries, grises et poussiéreuses. "Qu'est-ce?" "Hélas, des fresques qu'on a dû détacher, ici et là à Florence, et que l'on ne peut restaurer faute d'argent." Il est surprenant que des fonds considérables ayant été obtenus pour le réaménagement des Offices, qui n'avait rien de pressant, aucun ne soit disponible pour prolonger l'existence de ces précieux invalides. La Soprintendenza prévoit de les placer en fin de compte au couvent du Carmine, qui deviendra un musée des fresques. Autant je regrette que l'on doive retirer les fresques des lieux pour lesquels elles avaient été conçues, autant ceci me semble la solution la moins mauvaise.

A la Badia, pas une âme pour gâcher mon plaisir à voir les Mino, les Filippino Lippi et le Chiostro degli Aranci où l'on voit les sinopies restées aux murs après qu'on a retiré les fresques. Elégance de chaque colonne, grande ou petite, vitalité de chaque sculpture.

Au Palazzo Vecchio, où Giovanni Poggi, qui n'a pas pu nous accompagner lui-même, a délégué son assistant, l'Ispettore Cirri, pour nous guider à travers cette étonnante garenne et nous montrer les restaurations et les découvertes les plus récentes. Il nous a fait traverser des couloirs et des pièces, dont quelques-unes étaient ornées de plafonds magnifiques qu'il ne me souvenait pas d'avoir vus avant. Ai trouvé le Legs Loeser bien mis en valeur, mais moins intéressant que je le voyais dans mon souvenir, à l'exception de quelques chefs-d'œuvre, tels l'ange de Tino de Camaino et le portrait de Laura Battiferri, par Bronzino. Ou étais-je déjà trop fatigué?

Il y a trop à voir en une seule visite et nous avons dû laisser le Studiolo d'Éléonore d'Este pour la prochaine fois. Mais j'ai été heureux de voir de mes propres yeux tout ce qui a été accompli sous la judicieuse direction de Poggi.

De retour aux Offices pour voir la nouvelle disposition des salles du XVe et du XVIe siècle. Murs trop blancs, tableaux qu'on expose comme pour une vente aux enchères plus qu'on ne les laisse parler d'eux-mêmes. Cependant, dans l'ensemble, visibilité accrue et meilleur contexte pour de nombreuses toiles, surtout celles de Boticelli.

Chiostro degli Aranci,
Histoire de Saint-Benoît,
Badia Fiorentina, Florence.

On a la possibilité de se reculer afin d'apprécier pleinement les relations spatiales et la profondeur du "Printemps." Lui faisant face, le triptyque de Hugo van der Goes est saisissant (quoique je ne sois pas certain d'apprécier le contraste violent entre un monde si terre à terre et un autre, si idéal)... La botte de foin au premier plan, le vase à l'iris, le damas blanc des robes des femmes, et surtout le paysage hivernal. On a envie d'y plonger un thermomètre pour mesurer les degrés de froid. Il n'y a jamais eu dessin plus précis ni, en Europe, plus raffiné ni plus délicat. Seul Botticelli peut prétendre à plus de subtilité et à une plus grande signification dans le contour.

La circulation dans les rues est effrayante pour quelqu'un comme moi qui a si peu l'habitude d'aller en ville. Je parviens généralement à ma destination dans un réel état de panique et suis soulagé si le chauffeur peut me déposer là où je n'ai pas à traverser la chaussée. Très tard le soir ou aux premières heures du jour il est peut-être possible de s'adonner à des occupations démodées, comme s'arrêter au milieu de la rue afin d'admirer là-haut les façades des palais et des églises, ou rêver et méditer. D'un autre côté, quand on vient de quitter la rue, avec son animation et sa bousculade, la tranquillité à l'intérieur des églises, ou dans les cloîtres ouverts de Santa Maria Novella, de San Lorenzo, de la Badia, est presque incroyable. Il ne parvient dans ces lieux enchanteurs qu'un lointain murmure.

Le silence de ces cloîtres, qui y régnait au Moyen Age au moins autant qu'aujourd'hui, nous fait prendre conscience de ce que cela devait être que de s'y réfugier pour vivre une vie tranquille de contemplation, à l'abri du bruit et de la foule des cités médiévales.

A l'Accademia, un jour ouvrable. Suis surpris de trouver l'endroit relativement vide. On imaginerait que l'ensemble unique de sculptures de Michel-Ange attirerait des foules nombreuses, même si les tableaux, sauf les Lorenzo Monaco, les Ghirlandaio peut-être et une ou deux toiles bizarres du XIVe siècle, n'ont d'intérêt que pour l'expert à qui l'on doit leur attribution. Il en va de même pour la plupart des expositions de peinture italienne, comme celle de Pontormo au Palazzo Strozzi, ou celle des "Primitifs," actuellement à l'Orangerie de Paris. Dans l'une et l'autre, peu de toiles retiendraient notre attention de par leurs qualités propres. La grande question est de savoir qui les a

Hugo van Der Goes,
Partie centrale du Triptyque Portinari,
Musée des Offices, Florence.

peintes, qui a donné l'attribution correcte et qui l'attribution erronée. C'est pourquoi la falsification des valeurs et la corruption du goût ne sont plus, comme avant, le résultat d'une certaine naïveté, mais d'une volonté délibérée. L'expositionnite est une maladie, et pas seulement au sens figuré. On devrait la soumettre à des contrôles comme les affections contagieuses. Au lieu de cela, j'apprends que quarante chefs-d'œuvre italiens vont bientôt subir le voyage aller-retour à Washington et New York. (9)

Suis allé hier à l'église des Ognissanti. Ai jeté un coup d'œil au Saint Augustin de Botticelli. Aucune évocation d'un intellect affrontant les plus hautes questions ne lui est comparable, pas même chez Dürer, chez Michel-Ange ou chez Rembrandt. Le résultat est plastique, tant du point de vue du dessin que de celui de la couleur, et l'ensemble est des plus parlants. Y sont décrits avec précision et intelligence les objets dont un penseur aime à s'entourer. Et pourtant que ce tableau est mal connu, même du public cultivé, et qu'il est peu apprécié! C'est curieux, si l'on considère que Botticelli est l'un des peintres favoris des prétendus amateurs d'art. Jusqu'à ce que Rossetti, Ruskin, les Préraphaélites, et surtout Pater le découvrent, il était presque inconnu. Même Burckhardt ne lui prêtait guère attention et d'autres auteurs, il y a un siècle, s'ils en parlaient, le trouvaient inférieur à Ghirlandaio. Grâce à Pater sans aucun doute, j'ai eu le coup de foudre pour lui, mais il m'a fallu des dizaines d'années avant de le comprendre.

Au Dôme. Ai examiné de près la "Pietà" de Michel-Ange et ai été frappé par deux faits : le premier est que la composition est fondée sur le "Laocoön", le deuxième que la tête de Nicodème est un auto-portrait. Je ne veux pas dire ou même suggérer que Michel-Ange a délibérément copié le Laocoön, ou délibérément donné ses propres traits à Nicodème. Plus probablement, il était inconscient de l'un

Bronzino, Le Serpent de Bronze.
Palazzo Vecchio, Florence.

Sala degli Gigli
Palazzo Vecchio, Florence.

comme de l'autre. Même les grands artistes atteignent inconsciemment leur sommet. Dans mon *Esthétique et Histoire des Arts Visuels* (ou est-ce ailleurs ?) j'ai cité le cas de Matisse à qui je reprochai un jour d'être trop cambodgien. Il fut sincèrement étonné et nia mon accusation. Je lui demandai simplement de regarder les murs de son atelier, tout recouverts de bas-reliefs cambodgiens. Un jeune homme qui revenait d'un long séjour à Olympie, en rapporta des dessins très inspirés des sculptures qu'il avait admirées : il fut catastrophé lorsque je lui dis que c'en étaient de bonnes copies. Il jura que c'était sa façon propre de voir.

Il y a quarante ans, j'ai horrifié mes camarades, étudiants en histoire de l'art, en demandant si Michel-Ange – le sculpteur, et le sculpteur seulement – était autre chose, ou davantage, que la réincarnation d'un artiste de l'école de Pergame, ou le résultat d'une évolution semblable ou parallèle. Je pose encore la question aujourd'hui. La seule explication que je puisse donner de l'estime dans laquelle on tient Michel-Ange, alors que l'école de Pergame est traitée avec un certain mépris, est qu'en tant qu'illustrateur (et pour nous, chrétiens issus du christianisme et formé par lui et par sa culture) Michel-Ange nous plaît parce qu'il a un sens tragique et sublime de la vie, parce que ses marbres expriment une insatisfaction divine à travers un sens sombre des choses à venir. En bref, son grand attrait réside dans son travail d'illustrateur et d'artisan. Il savait suggérer et exprimer avec profondeur ce qu'il avait à communiquer – sinon tout ce qu'il aurait voulu communiquer.

Mon goût pour le Maître de la "Nativité" du Castello m'a ramené à San Giovannino dei Cavalieri, dans la Via San Gallo, afin de renouer connaissance avec sa délicieuse "Annonciation." On y reconnaît déjà l'influence de Filippino Lippi, ce doit donc être une œuvre tardive. Ai trouvé l'église magnifiquement entretenue par un jeune prêtre qui s'occupe apparemment avec passion des œuvres d'art qu'elle contient. Il a même réussi à obtenir qu'une belle "Crucifixion" de Lorenzo Monaco, entreposée dans la réserve des Offices, retrouve son emplacement d'origine derrière l'autel.

Heureux de voir que l'importance fresque de Masaccio à Santa Maria Novella était admirablement restaurée et se trouvait à sa place. Je ne me souvenais pas de l'étonnant trompe-l'œil d'un autel sur lequel semble maintenant reposer le Crucifix, au-dessus de la peinture d'un squelette.

Le Cloître Vert aussi beau que jamais, et les sinopies révélées quand on a enlevé les fresques d'Uccello dignes d'intérêt. J'ai tout de même la nostalgie de l'époque où ces fresques étaient encore à leur place, où l'on pouvait assez bien les voir.

A l'Uffici del Restauro pour jeter un coup d'œil aux tableaux en cours de restauration. Rayons à infra-rouge, "sinopie," pentimenti ; la découverte de la pénible gestation d'une œuvre d'art détruit tout plaisir esthétique, par opposition au plaisir cérébral. Phénomène identique aux diverses tentatives pour retrouver un Ur-Homère ou un Ur-Pentateuque. On cesse de les apprécier comme littérature, ou de les considérer comme de l'histoire, ne serait-ce qu'une sorte d'*Historia Romanca.* On est absorbé par le comment et le pourquoi, sans plus s'intéresser désormais à la chose en soi. Tout n'est plus que philologie. Je préférerais pratiquement voir une toile dans un état terrifiant et rêver à ce qu'elle a dû être jadis, plutôt que de la voir lacérée de la manière dont les philologues taillent dans Homère, la Bible et d'autres textes anciens. Le temps touche à tout ce que fait l'homme, plus souvent avec une main d'artiste qu'avec celle d'un destructeur.

Où que nous allions, je remarque des améliorations dans l'éclairage des tableaux et des fresques comme, par exemple, dans la chapelle des Brancacci au Carmine ou dans la chapelle de Lorenzo Monaco à Santa Trinità. Le seul inconvénient est qu'un bon éclairage révèle les détériorations, la poussière et la crasse de façon presque trop

Masaccio, Sainte Trinité.
Santa Maria Novella, Florence.

174.

Andrea del Sarto
Festin d'Erode
Chiostro dello Scalzo, Florence.

Andrea del Sarto
Saint-Jean Baptiste,
Chiostro dello Scalzo, Florence.

brutale. Les ravissantes fresques de Lorenzo Monaco à Santa Trinità, parmi les plus charmantes du début du XVe siècle, s'effacent rapidement. Ne pourrait-on rien faire pour les sauver?

La plupart des monuments florentins ne figurant pas au programme officiel des visites, tous sont loin de recevoir trop de visiteurs. Si l'on veut être au calme, il faut aller au Chiostro dello Scalzo, avec ses peintures murales en clair-obscur par Andréa del Sarte, au musée Castagno, à la Pinacothèque des Innocenti, au musée Bardini (avec son si joli assortiment de sculptures médiévales, d'objets d'art et de tapis persans) et surtout à l'incomparable musée Horne. Incomparable moins par ce qu'il abrite, quel qu'en soit l'intérêt, que par la pureté de son architecture. Je ne connais pas de plus bel exemple d'intérieur florentin de la Renaissance dans lequel il serait encore possible de vivre avec tout le confort moderne.

Musée de l'Œuvre du Dôme, rénové et offrant comme pièce de résistance, en plus de deux *cantorie,* l'un par Donatello et l'autre par Luca della Robbia, les statues de Donatello pour le Campanile, où l'on ne pouvait plus les laisser exposées aux intempéries. Bien que nous ne possédions aucune sculpture monumentale de la main de della Robbia, il fut en tout point un sculpteur tel qu'il avait été rare de l'être depuis le IVe siècle, alors que Donatello me semble peintre avant tout, et utilise la pierre ou le bronze au lieu du crayon et du pigment. Comme j'aimerais savoir expliquer cela aussi clairement que je le perçois moi-même! Je suis intuitif, gnomique, je sais parfois manier l'épigramme, mais je ne sais pas expliquer, ni trouver le chemin d'un esprit récalcitrant.

De nouveau à l'Accademia afin d'examiner encore les Michel-Ange inachevés, si impressionnants, et la "Pietà de Palestrina." Dans ce groupe, le bras droit du Christ paraît énorme, tandis que les cuisses sont bien trop maigres, et le bombement de la poitrine et de l'abdomen exagérés. Tête et visage suggèrent plutôt la fin du XVIIe siècle que le

Pietà de Michel-Ange,
Duomo, Florence.

début du XVI; et pourtant, pourtant? Cela a l'air d'un Michel-Ange, et si ce n'est pas de lui, ce doit être de quelqu'un qui désirait qu'on le prenne pour lui. A-t-on supposé que c'était du Bernin? Je ne suis pas aussi saisi, convaincu, persuadé par ce groupe que par les esclaves qui tentent d'échapper à la matière dans laquelle ils sont enchaînés.

Reçu par Giulia Sinibaldi et sa jeune assistante, Maria Fossi, dans le cabinet des estampes aux Offices, où elles m'ont montré avec enthousiasme le nouvel et excellent aménagement, les installations pour les étudiants, et les systèmes d'éclairage et de chauffage. Comme j'aimerais pouvoir bénéficier de tout cela! Le contraste avec le froid inconfort auquel j'étais habitué ici dans ma jeunesse est presque comique.

En traversant en automobile le Piazzale Michelangelo pour nous rendre à San Miniato, je me rappelle ce que m'a rapporté un ami savant qui avait dû y accompagner Hitler et lui montrer le célèbre panorama; celui-ci s'exclama: "Enfin je comprends Boecklin!" Voir un rapport quelconque entre une vue si classique et la sensualité si romantique de Boecklin n'est peut-être pas plus absurde que de pratiquer la politique d'Hitler, responsable en grande partie de ce purgatoire où nous vivons aujourd'hui dans la peur.

Face à une pensée si confuse, quel ordre, quelle clarté, quelle distinction, quelle subtilité de composition, quelle délicatesse des moulages, dans la façade de San Miniato! Elle anticipe tout ce qu'il y a de mieux dans l'ornementation du XVe siècle et l'on se demande si l'architecture du XVe siècle n'aurait pas fleuri plus tôt sans l'invasion gothique.

A l'intérieur, l'espace est encore plutôt médiéval, avec un chœur très haut au-dessus d'une crypte comme, par exemple, à la cathédrale de Modène. Au sol, ravissants et délicats motifs de dentelle comme au Baptistère de Florence. Aussi trappue et ramassée qu'une statue sumérienne, la statue qui soutient le lutrin de la chaire est fascinante. D'une élégance insurpassable, la sculpture de toutes les corniches dans un style que l'on trouve presque uniquement à

Florence. Murs de la nef couverts de fresques exécutées non pas dans un but décoratif mais comme ex-votos, pêle-mêle, les unes au-dessus des autres. Près de l'entrée, un colossal Saint Christophe dans le style roman des premiers temps, qui rappelle des personnages similaires de l'Italie du Nord. Probablement l'œuvre d'un peintre pèlerin.

Spécimen parfait de l'art du XVe siècle, la chapelle construite pour la tombe d'un jeune cardinal portugais est maintenant fermée de façon permanente, je me demande pourquoi. Elle n'abrite rien que son libre accès risquerait de déranger ou d'endommager. La raison serait-elle surtout une question de "bakchich"?

Un jeune novice nous a conduits au cloître supérieur pour que nous voyions les fresques, presque effacées, d'Ucello. Si je me souviens bien de mon Vasari, il ne les a pas tout à fait terminées parce qu'il en eut assez que les moines lui servissent toujours la même nourriture. Ce qui frappe, dans ces scènes qui ont tant souffert de l'outrage du temps, c'est leur grande ressemblance avec Donatello. On se rend compte ici du peu de respect qu'avaient les peintres d'une période particulière pour ceux de l'époque précédente, dans ce qu'une fresque de la fin du XVIe siècle a été exécutée par-dessus une autre, d'Ucello.

Invité par Mario Gobbo, directeur de l'Azienda del Turismo, et par Piero Bargellini, l'Assessore Comunale pour les Beaux-Arts, à visiter la Forteresse du Belvédère, sur les hauteurs de Florence, qu'elle domine ainsi que ses environs, de manière à empêcher quiconque, venu de l'intérieur ou de l'extérieur, de se débarrasser du grand-duc Cosme Ier. Ayant employé des ingénieurs à une époque où ceux-ci étaient aussi des artistes, Cosme a créé un édifice dans lequel l'architecture et la sculpture se mêlent en transcendant la simple fonction utilitaire. La *Comune*, avec l'aide financière de l'Azienda del Turismo, a réussi à en déloger les militaires, à détruire les dépendances et les abris ajoutés à une date ultérieure, et à dégager les murs monumentaux des talus qui le cachaient. La restauration sous la direction de l'architecte Nello Bemporad est toujours en cours dans le bâtiment central. Ce sera bientôt l'un des plus beaux sites de Florence. Nous l'avons visité en fin d'après-midi, sous un ciel des plus purs : tout autour, jusqu'au plus loin qu'on pût voir, le paysage semblait une page

d'un manuscrit enluminé du XVe siècle. Il était vraiment merveilleux de voir si clairement, et de si nombreux détails ; combien j'ai apprécié les proportions, la construction, les moulures et le modelé de toutes les parties du bâtiment !

Suis allé à la Villa Carducci à Legnaia avec Procacci, afin de voir ce qu'il reste des fresques de Castagno à Sant'Apollonia. Un mélange de bâtiments du XIVe et du XVe siècle, qui dut être une spacieuse villégiature patricienne. A présent occupée par des paysans et des artisans, hormis les salles où se trouvent des fresques. La mieux conservée est une belle représentation d'Eve, du meilleur Castagno. A l'extérieur, une fenêtre ouvrant à l'est témoigne de ce que le bâtiment entier a dû être. Ses corniches et ses moulures sont de la meilleure qualité, d'inspiration antique, comme tant d'architectures visibles dans les tableaux florentins du milieu du XIVe siècle et dans certaines imitations ferraraises.

San Martino alla Palma. L'un des rares endroits sur terre où, quand le temps s'y prête, art et nature sont en parfaite harmonie. L'église, avec ses colonnades, est pour moi un "Parthénon rustique." Le matériau employé est ordinaire, du vulgaire calcaire et du bois, mais les colonnes sont espacées de façon si harmonieuse et sculptées si délicatement qu'elles forment comme une série de cadres subtils pour les tableaux que fournit la nature. Cela aussi est miraculeux. Des collines tout à fait sculpturales, plus ou moins pyramidales, ou du moins triangulaires, s'élèvent par endroits à plus de trois cents mètres au-dessus d'une plaine parfaitement plane. Le contraste entre la géométrie pure de la plaine et le mouvement des collines, avec leur longues pentes, est des plus reposants.

Paolo Ucello, fresque.
San Miniato al Monte, Florence.

En quittant la loggia, je suis une fois de plus frappé par l'inscription dédicatoire, du XIIIe siècle, à ma connaissance l'un des plus beaux spécimens d'écriture médiévale.

Sommes revenus en automobile de Pratolino, en suivant de longs murs de parcs, puis, ayant traversé la Via Faentina, nous sommes allés à Fiesole. Le paysage s'étendait à l'ouest et au sud, jaune, vert et doré en ce début d'été ; les horizons lointains étaient tout plats, tandis qu'au pied de Fiesole s'ouvrait la crevasse de la vallée du Mugnone et, au-delà, Florence s'étendait, tel un mirage. Si nous n'étions pas la proie du *Wanderlust*, quel paysage, où, sous quels cieux lointains, nous paraîtrait plus beau, plus captivant ? Certainement pas les spectacles sublimes de l'Himalaya ou des Alpes. Tout ce qui est plus *à la mesure de l'homme*,[*] et donc plus satisfaisant.

---

[*] En français dans le texte.

NOTES.

1, (Rome, *20 mai 1947*).
Selon toute probabilité, il s'agit de Tamar chassé du palais royal pour Amnon. Cf. 2 Sam. XIII. 18-19.

2, (Rome, *29 octobre 1950*).
Il a été publié depuis la rédaction de ces pages. Cf. Ludwig Budde, "Severisches Relief im Palazzo Sacchetti," *Jahrbuch des Deutschen Archaeologischen Instituts* (Ergänzungsheft 80), Berlin 1955.

3, (Rome, *25 novembre 1952*).
Il a été retourné à présent au nouveau musée de Palestrine.

4, (Messine, *21 mai 1953*).
Il est retourné à Dresde à présent.

5, (Messine, *21 mai 1953*).
Cf. Cronache d'Arte, Bologne, 1924, p. 254.

6, (Enna, *28 mai 1953*).
Depuis lors, on a mis au jour plusieurs autres mosaïques et fragments intéressants et, tout particulièrement, une inscription prouvant que la villa avait été construite et habitée par Maximien, l'un des tétrarques du groupe de porphyre de Venise. Cf. Gino Vinicio Gentili, *La Villa Romana di Piazza Armerina* (Itinerari dei Musei e Monumenti d'Italia 87), 2ᵉ édition, Rome, 1954.

7, (Palerme, *12 juin 1953*).
Il a depuis été transféré au musée nouvellement aménagé de la sculpture et de la peinture du Moyen Age et de la Renaissance au Palazzo Abbatelli, à Palerme.

8, (Cosenza, *4 juin 1955*).
Lorsque j'écrivis ces lignes en 1955 j'avais oublié le compte-rendu par George Gissing, de son voyage en Calabre en 1897. La nouvelle édition *(By the Ionian Sea*, The Richards Press, Londres, 1956) m'a remis en mémoire la qualité d'écriture et d'observation de ce pessimiste invétéré, autant que son extraordinaire familiarité avec la littérature et l'histoire classique.

9, (Florence).
Le projet fut finalement abandonné après de violentes protestations de tous bords.

INDEX
DES LIEUX ET DES PERSONNES.

Index
des Lieux et des Oeuvres reproduits.

62. Détroit de Messine (Alinari, Florence).
64. Fontaine d'Orion par Montorsoli (1550) à Messine (Alinari, Florence).
66. Pietà d'Antonio da Messina, Musée Correr, Venise (Scala, Florence).
67. Crucifixion d'Antonio da Messina, Musée d'Art d'Anvers (Giraudon).
71. Théâtre grec de Taormine (Anderson, Rome).
74. La Rocca di Mola, Taormine (Elisabeth Z. Kelemen, Norfolk, Connecticut).
76. Centuripe (Dr. Alfred Nawrath, Bremen, et Anton Schroll and Co., Vienne).
78. Ambulacro della Caccia (mosaïque), Piazza Armerina del Casal (Scala, Florence).
79. Les Gymnastes, villa romaine de Casal (Scala, Florence).
82. Fontaine d'Aréthuse, Syracuse (Dr. Alfred Nawrath, Bremen, et Anton Schroll and Co., Vienne).
85. Ancien temple d'Athéna, Syracuse (Dr. Alfred Nawrath, Bremen, et Anton Schroll and Co., Vienne).
87. Cathédrale de Saint-Georges, Ragusa (Ente Provinciale di Turismo di Ragusa).
90. Teatro Comunale, Chiesa della Madonna delle Grazzie, Vittoria (Touring-Club Italiano, Milan).
94. Sarcophage de Phèdre, Agrigente (Alinari, Florence).
96. Autel des divinités chtoniennes, Agrigente (Anderson, Rome).
99. Péristyle du Temple de la Concorde à Agrigente (Fosco Maraini, Rome).
100. Temple de Ségeste (Dr Alfred Nawrath, Bremen, et Anton Schroll and Co., Vienne).
102. Mosaïque au Centaure, Palais National, Palerme, (Scala).
105. Création des Astres, Dôme de Monreale (Scala, Florence).
107. Triomphe de la Mort, Galleria Nazionale, Palerme (Scala, Florence).
109. Villa Palagonia, Bagheria (Scianna, Magnum).
112. Bernard Berenson en Tripolitaine (Coll. Berenson).
117. Gorgone de Septime Sévère à Leptis-Magna (Roger-Viollet).
119. Oasis de Saniet-Volpi, Tripoli (Coll. Berenson).
120. Théâtre antique de Sabratha (Roger-Viollet).
123. Leptis-Magna (Roger-Viollet).
125. Sabratha (Roger-Viollet).
126. Dioscure devant la scène du théâtre antique de Leptis-Magna (Roger-Viollet).

SOMMAIRE.

REMERCIEMENTS.

L'éditeur tient tout d'abord à marquer sa gratitude à
Mademoiselle Sylvie Raulet
qui a réuni l'iconographie qui vient enrichir ce livre.

Par ailleurs, il remercie
Mademoiselle Nadine Coleno et Monsieur José Alvarez
de leur patiente bienveillance,
Monsieur Didier Grumbach
de son amicale confiance,
ainsi que
Monsieur Michel Galabert
de son affectueuse ardeur à encourager ce projet.

Achevé d'imprimer sur les presses de M.G.T./Le Mans
en octobre 1985.

Dépôt légal : 4e trimestre 1985.